LAS IDEAS ANEXIONISTAS EN PUERTO RICO BAJO LA DOMINACION NORTEAMERICANA

Primera edición: 1987

Diseño de portada: Yolanda Pastrana Fuentes
Cuidado de la edición
y diagramación: Carmen Rivera Izcoa
Tipografía: Mary Jo Smith Parés

87386364

Impreso y hecho en la República Dominicana/
Printed and made in the Dominican Republic

Núm. de Catálogo Biblioteca del Congreso/
Library of Congress Catalog Card Number: 87-82378
ISBN: 0-940238-92-6

A Irving Louis Horowitz

Colección Clásicos Huracán

EL PAIS

Pto-Rico Miércoles 25 de Julio de 1900

25 de Julio

Hoy se cumplen dos años de aquel venturoso día en que apareció por aguas de Guánica la bandera americana en vuelta en nubes de pólvora y desplegada por aires de libertad para el pueblo por=torriqueño, aires que pronto disiparon aquellas nubes, dejando lucir el claro sol de la Democracia, ante la cual huyeron despavoridos los patrocinadores de la tiranía y del oscurantismo.

De entonces acá, la libertad es un he=cho, la seguridad es indiscutible, el pro=greso avanza lento pero seguro

¡Feliz día, que recordarán siempre [...] amor y gratitud los buenos puerto [...] queños!

Las ideas anexionistas en Puerto Rico bajo la dominación norteamericana

Edición de Aarón Gamaliel Ramos

1987

Clásicos Huracán

Dr. José Celso Barbosa

INDICE

LAS IDEAS ANEXIONISTAS EN PUERTO RICO BAJO LA DOMINACION NORTEAMERICANA

Aarón Gamaliel Ramos

Este ensayo explora el desarrollo de las ideas anexionistas en Puerto Rico durante la dominación norteamericana. Mi propósito es precisar las constantes y las rupturas en el pensamiento anexionista tomando como base las transformaciones sociológicas que han impactado la vida política puertorriqueña a lo largo de este siglo.

La idea de anexión ha sido un elemento clave de la historia política de Puerto Rico. Ha servido para articular los intereses y aspiraciones de diversas capas y clases sociales desde su surgimiento a mediados del siglo XIX hasta nuestros días. La anexión fue una de las alternativas consideradas por el sector criollo en el escenario de luchas contra el colonialismo español durante la segunda mitad del siglo diecinueve. Bajo la dominación norteamericana, la *estadidad* se convirtió en proyecto de una pluralidad de grupos; algunos afines con la anexión por la naturaleza de sus vínculos con el mercado norteamericano; otros, por los espacios políticos que les abría el orden democrático implantado por la nueva metrópoli.

Se trata de un fenómeno de una importancia histórica incuestionable. Sin embargo, a pesar de que en años recientes se ha incrementado el interés por el tema, la literatura sociológica e historiográfica no alcanza a reflejar aún la importancia que tiene esta ideología al presente.[1] Es necesario

---

[1] Algunos de los trabajos recientes sobre el tema son: Edgardo Meléndez Vélez, "La estadidad como proyecto histórico: del anexionismo decimonónico al proyecto republicano en Puerto Rico", *Homines* VII: 2 (junio 1984 a

examinar esta tendencia con objetividad, proponiendo hipótesis que expliquen su dinámica, evaluando las fuerzas sociológicas que configuraron su trayectoria histórico-social, y explorando las innumerables fuentes documentales que permanecen aún intocadas. Este trabajo pretende aportar a esa tarea.

El siglo XIX: mercado y democratización

El surgimiento de una tendencia en favor de la anexión a mediados del siglo XIX fue expresión de un doble anhelo en el seno de la clase criolla en formación: incrementar el comercio con los Estados Unidos y alcanzar el predominio doméstico sobre el aparato de estado. Para mediados del siglo, Puerto Rico había desarrollado un sistema económico basado en la exportación de mercancías agrícolas, que se vinculaba cada vez más con el mercado norteamericano. Y las barreras mercantilistas del colonialismo español, que servían de trabas al desarrollo de ese comercio, forzaban a la clase criolla isleña a definir su proyecto político.

El acceso de mercancías agrícolas isleñas al mercado norteamericano y el gobierno propio fueron problemas determinantes en la formación de la identidad ideológica de la clase propietaria. Para éstos era importante ampliar el comercio con los Estados Unidos, vendiendo su producción agrícola (principalmente azúcar y café) y comprando los bienes industriales que se producían en ese mercado. Pero, además, para el elemento criollo en ascenso era crucial incrementar su

enero 1985), pp. 9-30. Dos trabajos de Mariano Negrón Portillo, "El liderato anexionista antes y después del cambio de soberanía", *Revista del Colegio de Abogados*, octubre de 1972, pp. 369-391; y *Cuadrillas anexionistas y revueltas campesinas en Puerto Rico, 1898-1899*, Centro de Investigaciones Sociales, 1987; Angel Quintero Rivera, *Conflictos de clase y política*, Ediciones Huracán, Río Piedras, 1972; La *Revista de Historia* (I:2, julio-diciembre de 1985) dedica dos ensayos al tema: Carmelo Rosario Natal, "Betances y los anexionistas, 1850-1870", pp. 113-130; y Aarón Gamaliel Ramos, "La revista *El Estado* en la historia del anexionismo puertorriqueño, 1945-1960", pp. 215-221; y Luis Martínez Fernández, *El Partido Nuevo Progresista: trayectoria hacia el poder y los orígenes sociales de sus fundadores, 1967-1968*, Editorial Edil, Río Piedras, 1985.

agarre sobre el aparato político local, donde se tomaban las decisiones que afectaban sus intereses como clase. De ahí que fueran dos los temas centrales de las luchas políticas en el momento de toma de conciencia de los grupos dominantes frente a España: el libre intercambio y la democratización. Ambos asuntos permearon la retórica anexionista durante el siglo diecinueve y los primeros lustros del veinte.

En ese escenario de luchas políticas, el anexionismo fue un fenómeno abigarrado y débil. Más que proyecto político acabado, fue una *idealización* de elementos políticos diversos que, incapaces de sostener una lucha política propia, tendieron a refugiarse bajo las sombrillas del separatismo y del autonomismo.

En sus inicios, el concepto de anexión tuvo un fuerte acento mercantil. Al igual que en otras sociedades antillanas, la idea caló hondo entre los terratenientes azucareros, ávidos de insertarse en el sistema comercial norteamericano. En el seno de la pequeña burguesía, admiradora de las instituciones republicanas de los Estados Unidos, ocurrió otro tanto.[2] Para los primeros, la anexión tenía el significado evidente de convertir a Puerto Rico en una localidad de producción agrícola para el mercado más pujante del mundo. Los segundos asociaban la idea de la anexión con un proceso de democratización de la sociedad puertorriqueña que pondría fin a las estructuras sociales jerarquizadas y les permitiría ampliar sus funciones como clase.

[2] Meléndez explica la preeminencia del elemento cañero en la composición social del anexionismo del siglo XIX de la siguiente forma: "Durante el último tercio del siglo XIX tres grupos sociales se destacan por su apoyo al anexionismo: el sector cañero, el sector cafetalero del suroeste y la pequeña burguesía comercial y profesional. Dentro de estos vale destacar la posición de los cañeros, pues en estos se demuestra mejor la continuidad en el apoyo al anexionismo. La razón para esto es clara: la industria cañera era el sector económico más abatido en Puerto Rico en las últimas tres décadas del siglo pasado, y la anexión de Puerto Rico a los Estados Unidos se veía como la solución lógica a sus problemas" de ausencia de fuentes de crédito y de provisión de mano de obra. Edgardo Meléndez, *op. cit.*, p. 12. Las fuentes clasistas del movimiento son también explicadas por Wilfredo Mattos Cintrón, *La política y lo político en Puerto Rico*, Serie Popular Era, México, 1980, pp. 46-53.

La idea de la incorporación al sistema federal como una forma de *autonomía* dominó el pensamiento anexionista en ese ámbito de luchas. En el debate político Estados Unidos era representado como una república de estados autónomos, socios de un mercado común. La imagen de anexión que servía de eje a los anhelos políticos de los grupos criollos vislumbraba la entrada de Puerto Rico a un sistema federalista, donde el país lograría lo mejor de dos mundos: el enlace económico con el capitalismo norteamericano y la formación de un estado secular manejado internamente por grupos domésticos. Esta idea, que permeó las aspiraciones del elemento criollo durante el siglo XIX, fue recogida por el Comisionado Carroll en su informe sobre Puerto Rico, de 1899:

> Esperan que bajo la soberanía norteamericana se corrijan los males de muchos siglos; que tendrán un gobierno honrado y eficiente; la más amplia libertad como ciudadanos de la gran República bajo la constitución, gobierno local (home rule) según lo provee el sistema territorial; libre acceso a los mercados de Estados Unidos, y ningún impuesto de aduana en bienes procedentes de nuestros puertos.[3]

La admiración hacia los Estados Unidos no se limitó a los grupos dominantes. La idealización de la metrópoli como sociedad próspera y democrática también permeó sentimientos populares. Esta afinidad política ha sido apuntada en diversos trabajos investigativos. Por ejemplo, Pilar Barbosa de Rosario le atribuye una vinculación con la lucha antiesclavista durante el siglo XIX.[4] Otros trabajos más recientes

---

[3] La importancia del mercado norteamericano en la formación y desarrollo del anexionismo decimonónico se patentiza en la Comisión Carroll, algunos de cuyos deponentes exponen la impaciencia del sector cañero ante las trabas del sistema español; por ejemplo, el hacendado cañero Nadal, quien alega que la posibilidad de acceso del azúcar a Estados Unidos fue determinante en despertar el interés por la anexión. Henry K. Carroll, *Report on the island of Porto Rico*, Washington, D.C.: U.S. Government Printing Office, 1899. Ver también: Gervasio L. García, "Puerto Rico en el 98: Comentario sobre el Informe Carroll", en *Historia crítica, historia sin coartadas*, Ediciones Huracán, 1985.

[4] Sobre la cuestión de razas la historiadora del anexionismo Pilar Barbosa de Rosario alega que existió un vínculo entre la lucha contra la

han relacionado la presencia de los Estados Unidos con el logro de ciertas reivindicaciones sociales en la transición entre el colonialismo español y el norteamericano.[5]

El colonialismo norteamericano

Si bien la idea de anexión fue un elemento significativo de la política decimonónica, es sólo a partir de 1898 que logra articularse en un proyecto coherente, eje de un movimiento político organizado: *el Partido Republicano*.[6] La dominación norteamericana de Puerto Rico creó condiciones económicas y sociales que nutrieron el desarrollo de un movimiento anexionista que aglutinó las esperanzas de importantes sectores de la sociedad isleña. En el confuso medio de cambios económicos y sociales que representó el primer lustro del siglo XX, el *Partido Republicano* se convirtió en un instrumento clave de lucha política, organizando una alianza donde coincidieron propietarios y desposeídos.

El azúcar fue tema de enlace entre los dos escenarios coloniales. El grupo dirigente del *Partido Republicano* fue constituido por hacendados azucareros, comerciantes, profesionales y otros sectores forjados en el mundo azucarero de

---

esclavitud y el anexionismo, y cita las memorias de Juan Ramón Ramos en su apoyo: "Era mi padre un benefactor de la humanidad; odiaba la esclavitud, y protegía a los desvalidos. Aquel odio se acentuó cuando visitó la Isla de Cuba, y los estados del sur de la Unión Americana. De ahí que cuando se declaró la guerra [Civil] por causa de la abolición de la esclavitud, él que hasta entonces había vivido apartado de la política, sus simpatías por los estados del Norte le afiliaron al partido anexionista que era el único que aquí combatía la dominación Española... Esos antecedentes dieron lugar a que ya en el año 1865 se me considerara como uno de tantos afiliados al partido anexionista, cuyas reuniones se celebraban en la Hacienda Julia del Dorado, propiedad de Don Julio Skerret". Pilar Barbosa de Rosario, *De Baldorioty a Barbosa: historia del autonomismo puertorriqueño, 1887-1896*, Imprenta Venezuela, San Juan, 1957, p. 12.

[5] Fernando Picó, *1898: La guerra después de la guerra*, Ediciones Huracán, 1987; y Mariano Negrón Portillo, *Cuadrillas anexionistas...*

[6] La formación del Partido Republicano ha sido discutida por Pilar Barbosa de Rosario (ed.), *Documentos para la historia política puertorriqueña*, Vol. 3, San Juan, 1983. Ver también: Edgardo Meléndez, *op. cit.*, pp. 19-21; y Bolívar Pagán, *Historia de los partidos políticos puertorriqueños*, Vol. I, pp. 34 y siguientes.

finales del siglo XIX.[7] Este sector, erosionado por la crisis que experimenta el azúcar antillana en el mercado mundial a finales del siglo XIX, vio con esperanzas la modernización de la industria azucarera mediante la producción capitalista en *centrales*. Pero además, el anexionismo fue nutriendo las aspiraciones de nuevos sectores que entraban en el terreno político: proletarios pobres y otros grupos en desventaja, que vieron posibilidades de movilidad social y apertura política bajo el nuevo esquema colonial. Esta base impregnó de ideas *igualitarias* lo que históricamente había nacido como un sueño mercantil. Y así se fue transformando la idea de anexión en bandera desmitificadora del orden social blanco y desigual que había alimentado el colonialismo español.

Al finalizar el siglo XIX los anexionistas puertorriqueños proclamaban su adhesión a las ideas de liberalismo e igualdad de todos los seres humanos, más allá de sus diferencias sociales y económicas. El programa del *Partido Republicano* asumía las libertades que el sistema español había negado con vehemencia: los derechos ciudadanos, la libertad religiosa, la instrucción popular, el sufragio universal, y otros reclamos liberales.

> Proclamamos el imperio de la libertad y de los derechos individuales, especialmente del sufragio universal para todo ciudadano americano, rico o pobre, nacido o no en el país; la libre y honrada emisión del voto y la representación del pueblo, y en la libertad de todos los hombres. Por consiguiente, proclamamos la libertad de pensamiento y de conciencia, de palabra, y de la prensa.[8]

En cierta medida los *estadistas* del siglo XX representaron orientaciones políticas opuestas a los anexionistas decimonónicos. Los actores políticos del siglo XIX habían intentado forjar, con una cierta ingenuidad, una sociedad liberal y

[7] La composición social del Partido Republicano ha sido examinada por A.G. Quintero Rivera, *Conflictos de clase y política en Puerto Rico*, Ediciones Huracán (1976 y ediciones subsiguientes); y Mariano Negrón Portillo, "El liderato anexionista antes y después del cambio de soberanía..."

[8] Bolívar Pagán, *Historia de los partidos...*, pp. 32-37.

republicana. Defendieron consignas fundamentales del liberalismo, como la libertad ciudadana y el libre cambio. En estrecha colaboración con el *independentismo* cubano y puertorriqueño, promulgaron ideas republicanas. Pero el anexionismo que se desarrolla al calor del colonialismo norteamericano hizo añicos de la ortodoxia decimonónica. La crisis intelectual es evidente si analizamos las expresiones de uno de los representantes más prominentes del anexionismo durante el siglo diecinueve, José Julio Henna, quien concibió el esquema colonial instituido por los Estados Unidos en Puerto Rico como "el resultado de una gigante injusticia a un pueblo confiado a la vez que vilmente engañado por la Nación que... había creído incapaz de acción tan baja".[9]

Con el establecimiento del gobierno civil en 1900, los Estados Unidos dan un paso firme hacia la consolidación del colonialismo en Puerto Rico. Durante los años de gobierno militar hubo mucha confusión sobre las consecuencias políticas que habría de tener la invasión. Pero la *Ley Foraker* esbozó con claridad las bases de la política norteamericana, reafirmando el colonialismo y desmoronando los anhelos liberales decimonónicos. Las discusiones que tuvieron lugar en el Congreso a principios de 1900 sirvieron para articular el esquema colonialista y para desorientar a los sectores que vivían esperanzados en la pronta integración de Puerto Rico a los Estados Unidos.[10] No obstante la tesis populista y modernizadora de los *republicanos*, estos procuraron acomodarse en el nuevo esquema de dominación, sirviendo de intermediarios en el manejo del gobierno colonial y accediendo a la lógica del capitalismo dependiente que se instauraba en el territorio. A pesar de su retórica *igualitarista*[11] los

[9] Roberto H. Todd, *José Julio Henna: 1848-1924* (Cantero, Fernández & Co., San Juan, 1930), p. 38; y la reseña de una entrevista a Henna, "Puerto Rico quiere justicia", en *El País*, 21 de marzo de 1900.

[10] Edward H. Berbusse, *The United States in Puerto Rico: 1898-1900*, The University of North Carolina Press, 1961; Carmen I. Rafucci, *El gobierno civil y la Ley Foraker*, Editorial Universitaria, 1981; y María Dolores Luque de Sánchez, *La ocupación norteamericana y la Ley Foraker*, Editorial Universitaria, 1980.

[11] La dimensión religiosa se refleja en la siguiente aseveración del

intereses económicos fueron determinantes en la elaboración de una concepción de la anexión cada vez menos ligada a los postulados liberales del anexionismo decimonónico y cada vez más identificada con la mecánica imperialista que informaba la expansión de los Estados Unidos por las Antillas.

Dentro de su continuidad histórica, la idea de anexión ha tenido significados cambiantes. Por la historia política de Puerto Rico han desfilado partidos anexionistas cuyas doctrinas y símbolos han encubierto intereses contradictorios, derivados de su composición social. Los diversos intentos de elaborar *proyectos* de anexión en la trayectoria de esta tendencia representan, más que la *cosmovisión* de *una* clase, la tensión entre los intereses de los varios grupos en la dirección del movimiento y el lenguaje que sostiene la alianza con los grupos subordinados.[12] La historia del anexionismo puertorriqueño es evidencia de lo difícil que es armonizar esta danza de intereses contrapuestos. El período en la historia del *Partido Republicano* que dirigió Barbosa (1898-1921) ya muestra las tensiones entre distintas doctrinas anexionistas. A pesar del activismo desplegado por los grupos exportadores y comerciantes de ese período, el republicanismo barbosista promovió una visión populista de la anexión, esperanzada en la transformación del orden social existente bajo los postulados liberales del sistema norteamericano. Con Barbosa, los republicanos continuaron acogiéndose al ideario liberal, promulgando la movilidad social, los derechos ciudadanos y el desarrollo de instituciones republicanas de gobierno. Su liderato dio cohesión a lo que esencialmente era un movimiento heterogéneo donde pugnaban calladamente diversas

---

congresista Gibson, de Tennessee: "Our race has a mission. No devout student of history can misread it. We are the preachers of a new evangel of government; we are the missionaries of a new and higher civilization; we are the apostles of the New World to the Old", *Congressional Record*, 56th Congress, p. 1566; Samuel Silva Gotay explica la reacción del catolicismo a la americanización de Puerto Rico en "La Iglesia Católica en el proceso de americanización en Puerto Rico, 1898-1930", *Revista de Historia*, I:1 y I:2.

[12] Gramsci apunta la relación en su discusión del príncipe moderno: "La historia de un partido es la historia de un grupo social...", *Notas sobre Maquiavelo*, Editorial Lautaro, Buenos Aires, 1962.

tendencias. Y su muerte en 1921 sirvió de preámbulo al predominio de un anexionismo conservador, impulsado por los grandes intereses agrarios, y perfectamente acoplado a la política colonialista de los Estados Unidos.

La producción ideológica de los anexionistas del período pos-barbosista se caracterizó por la dificultad de conciliar el interés primordial de la burguesía terrateniente de garantizar su plena inserción en el sistema capitalista, con la necesidad de esbozar una propuesta social capaz de aglutinar sus bases de apoyo. Hay varias instancias históricas que revelan las tentativas de articular un proyecto político. La primera se inicia con la formación de la *Alianza Puertorriqueña*, en 1924. Este proceso coincidió con la desaparición de los actores políticos del siglo XIX, la renuencia de la metrópoli a realizar cambios en la estructura de dominio colonial y el avance de las fuerzas populares organizadas en el *Partido Socialista*. Esta fase del republicanismo, dirigida por José Tous Soto, optó por abandonar el doctrinarismo barbosista, a la vez que elaboró una estrategia realista de anexión. Es decir, acopló sus ideales a las premisas evolucionistas de la política colonial norteamericana, como lo revela la idea de autonomía colonial, propuesta por Tous Soto en los años veinte.

En 1932 se inicia otro período con la victoria de las fuerzas que componían la Coalición. A partir de la década del veinte los conflictos en el seno del *Partido Republicano* patentizan la tensión espiritual entre el reclamo de igualdad para los puertorriqueños dentro del sistema norteamericano, y la investidura colonialista del país que a la sazón estaban administrando los republicanos. Este antagonismo se hace evidente en el debate entre *aliancistas* y *coalicionistas* durante la década del veinte. Luego se agudiza en los años treinta, frente al claro repudio al proyecto de estadidad por parte de los Estados Unidos. El anexionismo de la década del treinta está plenamente consciente de esta disyuntiva. Por eso, el programa republicano de 1932 hace reclamos importantes de soberanía política. Por otro lado, la formulación del Proyecto Tydings en 1936 hace que los republicanos incluyan la independencia en su plataforma, como recurso de dignidad. "Entre el hambre y la deshonra", argumentaba Martínez Nadal, "yo señalo a mi pueblo el camino de la dignidad".[13]

Al finalizar la guerra en 1945, los anexionistas abrieron una brecha que auguraba el fin de las organizaciones políticas del período agroexportador y el desfase de sus actores principales. En ese contexto se produjeron formulaciones ideológicas y estratégicas conflictivas. Las batallas en el seno del Partido Estadista Republicano fueron expresión de problemas mayores. Los viejos republicanos, apegados a la idea de estadidad como eje del mundo mercantil agrícola, continuaron promoviendo una idealización agrarista y elitista. Mientras tanto, los grupos afines a la estructura industrial naciente, bajo el liderato de Luis Ferré, comenzaban a impulsar la modernización del movimiento estadista. En el marco del nuevo capitalismo, la vieja clase sufrió golpes contundentes. La batalla entre los dos proyectos, iniciada a principios de los años cincuenta, tuvo un desenlace en la década del sesenta, con la creación del *Partido Nuevo Progresista*.

El PNP elaboró dos propuestas: la idea de *democracia industrial*, y la *estadidad para los pobres*. La primera, promovida por Ferré, presuponía la hegemonía de la burguesía industrial y el desarrollo de un consenso de la clase trabajadora hacia la estadidad, basado en la capacidad del sistema económico de incorporar al trabajador industrial como pequeño socio del capitalismo. El proyecto de Patrimonio para el Progreso, que esbozó Ferré durante su gobernación, resumía el intento. La otra propuesta surge a mediados de la década del setenta. Carlos Romero Barceló promovió una estrategia agresiva de anexión, apoyada en los sectores pobres del país, y montada sobre la creencia de que Puerto Rico había llegado al umbral de la incorporación. Sin embargo, el movimiento mostró sus grietas ideológicas en el largo proceso de rupturas que escindió al anexionismo durante los

[13] Rafael Martínez Nadal, "Ante el altar de la patria", en Eugenio Fernández Méndez, *Antología del pensamiento puertorriqueño: 1900-1970*, Tomo I, pp. 311-316.

ochenta, y cuya manifestación más sobresaliente fue la formación del *Partido de Renovación Puertorriqueña*.

La primera parte de este trabajo está dedicada al estudio del anexionismo en la sociedad puertorriqueña desde la invasión norteamericana hasta el presente. En la segunda parte se presentan programas y manifiestos de los distintos partidos y organizaciones anexionistas durante el mismo período.

I. El viejo anexionismo

La invasión norteamericana de Puerto Rico impulsó importantes transformaciones en la sociedad puertorriqueña. En su papel de potencia colonialista en el Caribe, los Estados Unidos formularon planes de acción que trastocaron el orden social y político que había forjado el colonialismo español.

La transformación de los sistemas económicos tradicionales como resultado del capitalismo dio inicio a importantes cambios sociológicos. En primer lugar, los sectores dominantes se vieron imposibilitados de competir con el nuevo capital bajo las condiciones de precariedad política en que los sorprendió la invasión. El capitalismo erosionó la base económica que los había sustentado durante la última parte de la dominación española, pero abría una gama de nuevas posibilidades comerciales. Sobre todo, les preocupó la eliminación de barreras tarifarias y el control del gobierno a nivel local, donde se tomaban decisiones que afectaban sus intereses económicos. Por otro lado, el capitalismo agrario debilitó las economías tradicionales, intensificando las migraciones de trabajadores hacia plantaciones azucareras y ciudades, las que se transformaban en *habitat* de los desposeídos y mercado político de los poderosos. El golpe más fuerte que sufrió la clase propietaria ocurrió al finalizar el Gobierno Militar, en 1900, cuando los Estados Unidos establecieron en la isla un arreglo político colonial que limitaba muchas de sus funciones.

La dominación norteamericana de Puerto Rico tuvo un efecto ambiguo sobre la estructura social isleña. Si bien debilitó las bases del estamento que la clase propietaria había disfrutado en el período anterior a 1898, la transformación capitalista y el establecimiento en el territorio de las instituciones políticas metropolitanas fueron condiciones ventajosas para otros sectores de la sociedad. Ese fue el caso de la pequeña burguesía, que buscaba insertarse en los espacios políticos que abría el nuevo régimen. Asimismo, el proletariado naciente encontró mayores espacios de maniobra política bajo el sistema norteamericano. En esa madeja, la idea de anexión tuvo diversos significados. Para algunos, representaba la posibilidad de darle continuidad, bajo el dominio norteamericano, a su sueño histórico de control doméstico. Para otros, fue el centro de un anhelo de democratización y movilidad social. Y fue también la base de un anexionismo popular, pues:

> La invasión norteamericana despertó grandes esperanzas en nuestros pechos. Pensamos que al pertenecer a una nación de tan poderosos instintos cambiaría la suerte del trabajador honesto.[14]

Las ilusiones autonomistas

La anexión fue ideal común de las clases propietarias al inicio de la dominación norteamericana, confiadas en que Puerto Rico pudiera llegar a convertirse en una región importante de producción agrícola. Durante la última mitad del siglo XIX, los terratenientes puertorriqueños habían logrado constituir una economía de exportación de mercancías agrícolas (principalmente café y azúcar). El control norteamericano de la isla estimulaba un nuevo optimismo comercial en los grupos azucareros y cafetaleros. Hay que recordar, sin embargo, que se trataba de una clase social débil, cuyas aspiraciones políticas estuvieron limitadas a tratar de lograr la autonomía bajo España. Ahora se sentían satisfechas con el establecimiento de un orden político que

14 Citado por Gervasio L. García, "Puerto Rico en el 98...", en *op. cit.*, p. 128.

les permitía jugar un papel mínimo dentro del sistema norteamericano.

La formación del *Partido Federal Americano*, en 1899, articuló esos anhelos. Para los *federales*, la anexión no entraba en contradicción con su aspiración histórica de lograr el predominio interno del aparato estatal. Aplaudieron la invasión,

> considerando que Puerto Rico será un pueblo próspero y feliz a la sombra de la bandera americana y al amparo de sus instituciones federales; los propósitos del *Partido Federal* se condensan en esta fórmula: influjo directo y eficaz en el desarrollo de los intereses locales por una administración inteligente y honrada; tendencia firme y resuelta a la absoluta identidad con los Estados Unidos, en sus leyes y en sus prácticas de gobierno.[15]

Los federales proponían la anexión como una forma de convertir a Puerto Rico en una especie de *república*, dentro del conjunto de estados que formaban la nación norteamericana. Confiaban en la capacidad de la metrópoli de preservar la autonomía de sus unidades por las peculiaridades que atribuían al esquema federalista:

> Los Estados Unidos carecen de nombre como nación. Ni siquiera se llaman nación: se llaman ¡Estados Unidos! La América del Norte es un Estado de estados y una República de Repúblicas. Uno de esos estados, una de esas Repúblicas debe ser Puerto Rico en el porvenir.[16]

Pero no hubo tal *federalismo* que apoyara esa idealización. Para finales del siglo XIX, la autonomía dentro del sistema federal de los Estados Unidos no pasaba de ser retó-

---

[15] Programa del Partido Federal, en: Reece Bothwell, *Puerto Rico: cien años de lucha política*, I:1, Editorial de la Universidad de Puerto Rico, 1979, pp. 271-272.

[16] En Luis Muñoz Rivera, *Campañas Políticas (1890-1900)*, Editorial Libertad, Madrid, 1925. Sobre este tema ver también: Mariano Negrón Portillo, *El autonomismo puertorriqueño: su transformación ideológica (1895-1914)*, Ediciones Huracán, 1981.

rica hueca: un Estado centralizado que limitaba cada vez más el poder interno de sus *estados*. Más importante aún, la metrópoli quebró las esperanzas de predominio político doméstico a que aspiraban los criollos, con la inauguración de una estructura colonial que seguía el modelo de *colonia real (crown colony system)* que había diseñado Gran Bretaña para sus posesiones antillanas.[17] En todo caso, para la clase dirigente criolla lo que lograron arrebatar de España en 1897 fue mucho más que lo que concedió Estados Unidos como potencia colonial.

El sistema político organizado bajo la *Ley Foraker* tendió a excluir a los grupos dirigentes de la sociedad puertorriqueña de importantes áreas de la administración del estado. Bajo el marco colonial los Estados Unidos se reservaban el ejercicio del poder en sus áreas más fundamentales, y sólo asignaban un rol asesor a los grupos domésticos. La negativa de los *federales* a colaborar con el nuevo gobierno no fue otra cosa que el reconocimiento impotente de ese despojo, que además les negaba la ciudadanía añorada. Estas dificultades de la clase criolla para lograr el reconocimiento de la nueva metrópoli es evidente en las discusiones congresionales que sirvieron de antecedente a la aprobación de la ley Foraker. Henna y los delegados que reaccionaron a las vistas congresionales de 1900, donde se ventilaba la propuesta de un gobierno civil para Puerto Rico, colocaban la disyuntiva en los siguientes términos:

> ¿Puede alguien decir *por qué* aquellos que se acercaron confiada y crédulamente a la bandera y se han dado con lealtad y devoción a ella, deban ahora verse reducidos a la condición de "esclavos blancos" y se les pida que estén agradecidos por la miseria que se les da? ¿Puede alguien decir *por qué* el pueblo de Puerto Rico, un

---

[17] José Trías Monge, *Historia Constitucional de Puerto Rico*, Vol. I, Editorial Universitaria, Río Piedras, 1980, pp. 186-189. Este es el problema tratado por Antonio R. Barceló y José Tous Soto en su carta a Félix Córdova Dávila respondiendo a una carta del Gobernador Horace Towner. *In Defense of Porto Rico* (San Juan: 1928).

millón de personas de sangre caucásica y de fe cristiana, con el refinamiento, la cultura y la inteligencia de una civilización antigua representada vigorosamente entre ellos e influyendo en las masas; con una historia militar, política, social y financiera de la que cualquier pueblo podría sentirse orgulloso; con una población homogénea de una individualidad, inteligencia e instinto comercial excepcionales; con una cuarta parte de su pueblo capaz de leer y escribir, y la proporción aumenta rápidamente; con más residentes anglohablantes que todo el Archipiélago Hawaiano; tratables, leales y ambiciosos, con un caudal de productos tropicales a las puertas de los Estados Unidos; con su Isla —el puesto de avanzada más lejano de la Nación— segura de ser la primera atacada en caso de guerra y. por tanto, defendida por sus armas, deba lanzarse nuevamente al dominio militar, mientras que los cien mil habitantes de las remotas islas Hawaianas se constituyen en Territorio, se les concede la Constitución, y se les da comercio libre sin titubear?[18]

El establecimiento de la Ley Foraker dividió la dirigencia política puertorriqueña: separó a los federales del gobierno civil, y promovió la participación de los *republicanos* como intermediarios de la política norteamericana en Puerto Rico. En ese proceso desarrollaron un programa de identidad populista. Su retórica política hizo uso de las imágenes del código liberal: defender a los pobres de los males sociales a que habían sido sometidos por la antigua clase criolla y garantizar derechos básicos, como el de educación y reunión laboral. Así se fue formando un movimiento idealista, bien organizado, con un programa político que logró afincarse más o menos efectivamente en las capas pobres urbanas y entre los trabajadores de la ruralía capitalista.

---

[18] *Appeal of the People of Puerto Rico to the People of the United States.* Preparada por Henna, comisionado por la Cámara de Comercio de Puerto Rico, y por los delegados Larrinaga, Latimer, Sánchez Morales, A. Ames y Arturo Bravo, durante las vistas congresionales de enero a marzo de 1900. (Folleto, sin fecha, en Colección Puertorriqueña). (Énfasis de los autores).

La mitología liberal

Ninguna otra figura política representa con tanta claridad la política anexionista de principios de siglo como José Celso Barbosa. Como dirigente del *Partido Republicano* durante las primeras dos décadas del siglo XX, Barbosa moldeó el anexionismo con la aspiración de un liberalismo redentor. Su muerte a principios de los años veinte fue también la muerte del anexionismo decimonónico y el inicio de la trayectoria que habría de asumir el movimiento estadista a lo largo del siglo XX.

En Barbosa se entrelazan de manera especial la biografía con el medio político. Como actor en el escenario político de inicios de la dominación norteamericana, encontró un medio favorable para la elaboración de un proyecto anexionista cuyos símbolos fueron capaces de movilizar al elemento popular urbano. Históricamente, Barbosa se vio en una posición política peculiar que le permitió penetrar los grupos dominantes. Por un lado fue católico y médico, requisitos importantes para el acceso al mundo de la cultura dominante. Además, fue un hombre negro en el Puerto Rico blanco burgués, y fue masón, elementos que nutrieron una actitud de oposición y desdén hacia los valores políticos de la clase dominante isleña. Esos rasgos personales le fueron útiles en su relación con la metrópoli y con el pueblo.[19] Para muchos, Barbosa simbolizaba la promesa norteamericana de ascenso social: nacido de padres pobres advino a un mundo profesional de prestigio. Y fue esa capacidad su principal arma de lucha en el seno de su propia clase.[20]

---

[19] Antonio S. Pedreira, *José Celso Barbosa, un hombre del pueblo.* Instituto de Cultura Puertorriqueña, San Juan, 1965.

[20] Una publicación de la época provee la siguiente descripción de Barbosa: "Broad, liberal, fair-minded, he represents all that is best and worthy of praise in the development of the island... His breadth of view, lofty attainments and sterling integrity early recommended him to the notice of the American administration just as in inverse ratio he had come under the ban of Spanish officials... He was born in 1857, of poor parents, and has risen to the proud heights of prominence and fame by his own unaided powers 'of mastery of men, measures and things' ...During the period of

La cuestión racial figura con prominencia en su discurso político. Barbosa no pudo escapar el debate político sobre el negro que se llevó a cabo en los Estados Unidos a principios del siglo XX, que tuvo como exponentes principales a Booker T. Washington y W.E.B. Du Bois.[21] Se alínea con Washington en la visión de que el problema del negro en los Estados Unidos es de naturaleza social, más que política. Barbosa niega la existencia del problema en Puerto Rico. El problema de razas, argumenta, es una particularidad de la historia social de los Estados Unidos cuyo impacto sobre Puerto Rico los puertorriqueños mismos pueden controlar.

> El problema sólo puede surgir por la voluntad del pueblo puertorriqueño. El elemento blanco o el de color serán en nuestro país los únicos responsables, *si tal problema viene sobre el tapete.* Ellos, los únicos que podrán darle vida, apoyándolo y sosteniéndolo. No hay amenaza, no hay peligro del exterior... Pueden, pues, los hombres de color de Puerto Rico estar tranquilos y satisfechos bajo la nueva soberanía, porque los americanos nada podrán hacer, aunque lo pretendiesen en contra de ese elemento, ni les será posible importar el problema del color mientras los puertorriqueños no lo permitan por su expresa voluntad.[22]

Military Occupation, Doctor Barbosa was the trusted and confidential counselor of the commanding officers, and the readiness with which the people embraced the new tenets and prepared themselves for the new civil government was due in great measure to his sage counsel and conservative advice". F.E. Jackson, *The Representative Men of Porto Rico* (1910), p. 20.

[21] A comienzos del siglo el movimiento negro se movió en dos direcciones. Una, representada por Booker T. Washington, que proponía el mejoramiento del pueblo negro mediante programas autónomos de educación; y otra, lidereada por W.E.B. Du Bois, que enfatizaba el activismo político como medio de lograr la igualdad. Sobre este debate ver: Joanne Grant, *Black Protest: History, Documents, and Analyses*, Fawcett Publications (New York: 1968), pp. 175-179.

[22] José Celso Barbosa, *Problema de razas*, Imprenta Venezuela, San Juan, 1937, p. 35 (Énfasis mío). Varios negros se destacaron en el Partido Republicano; por ejemplo: Eugenio Le Compte, abogado y maestro rural, discípulo de Booker T. Washington y W.E.B. Du Bois; Eulalio García Lascot, médico humacaeño que realizó estudios en Howard University; Pedro Carlos Timothee, naguabeño que fue miembro de la Cámara de Delegados de 1902-1904; y otros.

La concepción de anexión que se desprende de sus escritos refleja un enlace intelectual con el autonomismo decimonónico. Barbosa concebía la estadidad como una modalidad de autonomía. Pensaba que Puerto Rico podía llegar a convertirse en una especie de república dentro de la gran asociación de repúblicas que era Estados Unidos. Visualizaba una *patria regional* autónoma, en la medida en que podía serlo desde su carácter de estado. Aceptó como verdades los postulados ideológicos que sirvieron de base a la república norteamericana: el principio de la autonomía local, el federalismo clásico, etc. Así, idealiza la *estadidad* cuando escribe:

> El ciudadano americano puede obedecer sin conflicto las leyes de la ciudad donde vive, el estado a que pertenece la ciudad y de la Nación. Ciudad, estado y Nación tienen señalados los *límites* de su actuación, que aseguran la independencia del gobierno local en todo lo que a la vida local corresponde, y aseguran la unidad nacional en todo lo que interesa para el bien de la patria común. El espíritu democrático americano fue siempre muy parco en conceder al gobierno de la Nación facultades muy centralizadoras: *a ello se debe que el sentimiento regional nunca esté en conflicto con el sentimiento nacional.*[23]

Sus textos están matizados por el reformismo positivista, al que se acogieron los sectores liberales de la sociedad isleña de principios de siglo. En su crítica a España, Barbosa toma partido con el pensamiento civilizador, tan en boga a principios de siglo. El *progreso y el orden* fueron la respuesta de algunos elementos de la sociedad isleña ante el descalabro en que España dejaba a su colonia antillana. Pero, mientras el independentismo decimonónico puso sus esperanzas de transformación en la organización de un nuevo orden social antillano a través de una confederación, Barbosa vislumbraba la transformación de la sociedad por el empuje civilizador norteamericano.

[23] José Celso Barbosa, *Orientando al pueblo*, Imprenta Venezuela, San Juan, 1937, p. 42. (Enfasis mío).

Es importante aclarar que el llamado barbosiano a la *americanización* fue un reclamo de instaurar un orden social liberal que abarcase "todo lo bueno que ha hecho del pueblo norteamericano un pueblo grande y poderoso" y no una mera petición de asimilación cultural. Todo ello forma parte de un complejo de creencias, compartidas por muchos otros elementos de ese período, según las cuales la isla se beneficiaría por su incorporación a un orden civil mucho más avanzado, donde florecerían las libertades individuales y las instituciones democráticas.

> Siendo ahora territorio, y mañana Estado de la Unión americana, se realizan satisfactoriamente los más perfectos ideales de un pueblo como el puertorriqueño; es decir, el gobierno próspero y efectivo en los asuntos locales, la intervención eficaz con los demás estados en los asuntos nacionales, y el influjo positivo de poderosos medios encaminados a un fin civilizador, en los destinos de la humanidad.[24]

Esta visión de mundo, influenciada por sus ideas positivistas, explica su postura contra la independencia. Esgrime como argumentos la pequeñez territorial y el atraso cívico: "Puerto Rico es un territorio muy pequeño para fundar una nacionalidad; y por la mala educación política que ha tenido [Puerto Rico] hasta ahora".[25]

Además, en el discurso barbosista el progreso sólo podría lograrse bajo los auspicios de la nueva metrópoli:

> Tampoco nos ilusionamos con las falsas ventajas de una confederación antillana, pues si bien a las antiguas antillas españolas les son comunes el origen, el lenguaje, y las costumbres, también lo que es Cuba está por organizarse. Santo Domingo constituye un deplorable atraso político, y Puerto Rico, con su cultura, su civismo y su admirable disposición para el ejercicio de sus funciones democráticas no hallaría en aquel medio

[24] *Ibid.*, p. 26.
[25] *Ibid.*, p. 83.

compensación ventajosa de gobernarse libremente en el interior y disfrutar en el exterior de la garantía de una nación poderosa y bien organizada que le asegure el ejercicio de las libertades contemporáneas.[26]

Con el correr del siglo, el significado que le dieron a la anexión los actores políticos decimonónicos perdió fuerza. El fortalecimiento del esquema territorial y el despojo económico que significó el capitalismo agrario debilitaban la médula de su argumento político: la idea de *patria regional*. Al final de su vida Barbosa incorpora en su discurso una sutil pero firme crítica al colonialismo norteamericano, más o menos en la línea en que Henna lo había hecho tres lustros antes. El siguiente texto denota su angustia:

No sería comprensible, sino como un acto de suprema burla que, a los veinte años, más o menos, de dominar al país con legislación especial transitoria, pasados, al decir de labios autorizados, en adiestrar al pueblo en prácticas de gobierno propio, se resolvieran los poderosos en Washington a organizar a Puerto Rico en forma de *Colonia Americana*, con restricciones mayores de las que hoy tiene.[27]

El realismo gradualista

La identidad populista y modernizadora que caracterizó al *Partido Republicano* de principios de siglo fue un fenómeno de corta duración. La concepción que dio vida al anexionismo republicano suponía una fe en que el gobierno metropolitano estaría dispuesto a anexar una entidad nacional como Puerto Rico. Pero esa idealización comienza a quebrarse para la segunda década del siglo.

Para los años veinte ya no le era posible a los anexionistas fundamentar su proyecto en el mito liberal. La propuesta de anexión que propulsaba el *Partido Republicano* se estrellaba contra la cruda realidad que estaba viviendo el pueblo de

[26] *Ibid.*, pp. 25-26.

[27] *Ibid.*, p. 117; esto es explicado también por Meléndez en *La estadidad como proyecto histórico...*

Puerto Rico. El colonialismo crudo, la exacerbación de la desigualdad social y la pobreza empañaban las concepciones idealistas que se habían forjado en el escenario político de principios de siglo. Más aún, luego de dos décadas de peticiones, era evidente que los Estados Unidos tenían poco interés en convertir el país en un *estado*. Ese conjunto de condiciones tendieron a minar la unidad ideológica del movimiento.

Diversos factores confluyeron para trastocar la doctrina y la estrategia *republicanas*. Primero, el *Partido Republicano* sufrió cambios importantes en su composición social. Por un lado, a partir de 1915 fueron perdiendo su base popular, como resultado de la entrada en la arena política del *Partido Socialista*. Por otro lado, los cuadros dirigentes del partido evidenciaron cambios durante los años veinte, cuando se incrementó la influencia del sector vinculado directamente con la economía azucarera. Todo esto acabó por distanciarlo de la trayectoria populista que le había estampado Barbosa.

Segundo, en la medida en que la política metropolitana se fue definiendo en torno de la preservación del carácter territorial de la isla, la *estadidad* se convirtió en un proyecto más utópico que probable. Por ejemplo, los tres lustros que siguieron a la *Ley Foraker* no evidenciaron intención alguna de realizar cambios. La ley *Jones* de 1917 no tocó, en lo fundamental, las aspiraciones políticas impulsadas por los criollos. Para 1924 los sectores más pragmáticos del anexionismo isleño comprendían que la *estadidad* era un proyecto indeseable desde el punto de vista metropolitano. Y en estrecha unidad con sus viejos opositores, los *unionistas,* argumentaban que:

> La cuestión del status final no preocupa por ahora a los hombres de estado de la Nación. Puerto Rico es un territorio ya organizado, pero no incorporado, aunque asociado permanentemente a los Estados Unidos por los vínculos indisolubles de la ciudadanía, de acuerdo con una política que tiende a facilitar el completo desarrollo de su vida en todos los órdenes, bajo la influencia de las altas y democráticas instituciones que han hecho libre y grande al pueblo de Norte América. Esto es en síntesis lo que hemos deducido de las pala-

bras y de las actuaciones de los *leaders* de la opinión pública americana. La cuestión del status, por ahora, es considerada, pues, por estos *leaders*, más como una cuestión académica, que como un problema de orden práctico.[28]

Tercero, la crisis capitalista de la década del veinte se dejó sentir en la organización partidista. El deterioro económico y social incrementó la fuerza del *socialismo* y acabó por separar en dos grandes grupos a las facciones dentro de la organización *republicana*. Los elementos más vinculados a los grandes intereses azucareros procuraron una *alianza* electoral con sus enemigos históricos, los *unionistas*, fuerza que dominó las elecciones de 1924 y 1928. De otra parte, la disidencia en el *Partido Republicano*, sintiéndose heredera de la tradición republicana, formó una coalición con el *Partido Socialista* que resultó victoriosa en las elecciones de 1932.[29]

Desde la *Alianza Puertorriqueña* se hicieron reformulaciones importantes en la estrategia de anexión. Bajo el liderato conservador los republicanos elaboraron una estrategia de anexión gradual que resultó más afín a los postulados evolucionistas de la política colonial. Los Estados Unidos dejaban las puertas abiertas a la anexión total, pero sólo como culminación de un proceso lento e indefinido de integración económica y adaptación cultural. José Tous Soto, abogado de trayectoria conservadora, vinculado al *establishment* judicial metropolitano desde los inicios de siglo, fue el portavoz más destacado de esta era de realismo político.

Las nuevas realidades económicas y políticas acabaron por derrumbar el anexionismo optimista. La *Alianza* de sectores históricamente contrapuestos (republicanos y unionistas) es un dato fundamental de la política de ese período que expresa dos procesos relacionados: los obstáculos con que se toparon los partidos políticos puertorriqueños frente

[28] Bolívar Pagán, *Historia de los partidos políticos puertorriqueños*, Vol. I, Librería Campos, San Juan, 1959, p. 228.

[29] Sobre este proceso ver: Gervasio L. García y A.G. Quintero Rivera, *Desafío y solidaridad*, Ediciones Huracán, Río Piedras, 1982.

a la intransigente política colonial y la convergencia de intereses económicos de los diversos sectores de la burguesía isleña. Ante la crisis, la seguridad económica a corto plazo resultó ser para los anexionistas un arma de mayor alcance que el proyecto político de largo plazo.[30]

La política de la *Alianza*, articulada por José Tous Soto, proponía una estrategia de anexión gradual que cabía dentro de los límites de lo que la metrópoli parecía dispuesta a conceder: el *self governing territory*. La autonomía colonial era explicada como un peldaño de preparación, necesario para poder asumir, en un momento oportuno, el rol de estado. De esta forma Tous Soto pasaba de la crítica de la colonia —la que ventilaban los republicanos del final del período barbosiano— a su justificación, basada en consideraciones de naturaleza táctica. Un importante sector republicano durante los años veinte luchaba por la autonomía colonial, que Tous Soto en *El futuro status político de Puerto Rico* justifica como "solución intermedia":

> ...la autonomía "en pelo", sin denigrarla con el calificativo "colonial", porque no lo merece, es el sistema que preconizamos como solución adecuada y lógica a nuestra especialísima situación político-económico-social. Esta solución intermedia, que participa de la índole de las dos soluciones extremas —estado; independencia—, sin confundirse con ellas, tiene ventajas de ambas y ninguno de sus inconvenientes.[31]

El anexionismo de los años veinte ponía el énfasis en el *gradualismo*. Para los anexionistas representados en la

---

[30] "La Resolución 6 y el ideal de los partidos en Alianza", *El Imparcial*, 11 de agosto de 1925.

[31] José Tous Soto, *El futuro status político de Puerto Rico*, Editorial Fortuño, Ponce, 1923, p. 19. Barceló y Tous Soto escribían al gobernador Towner en 1928: "We are not urging the American people either independence or statehood. If statehood is offered, Porto Rico could not refuse the honor...; if independence is tendered to us we will accept independence on the same basis as our sister Cuba. But we suggest a compromise between these extreme solutions; a form of government ...with the advantages of both and without the disadvantages of either". *In Defense...*, p. 31.

34

Alianza, el problema no era conseguir la estadidad, sino promover condiciones que prepararan el camino hacia ese fin. Pero el anexionismo de los treinta repudió esta posición, incorporando nuevamente una crítica sutil del colonialismo e intentando elaborar un programa social que hacía dos reclamos fundamentales: la búsqueda del mejoramiento laboral a través de concesiones del Estado, y el sacrificio de la burguesía azucarera en aras de la paz social.[32]

La *Coalición* fue una alianza política de sectores socialmente antagónicos. Reunía elementos vinculados con el movimiento obrero y elementos asociados a la industria azucarera. La retórica de Martínez Nadal manifiesta ese reclamo contradictorio. Por un lado, censura a las masas por llevar a cabo acciones *desesperadas y anarquizantes* ante la crisis por la que atraviesa el país. Pero, por otro lado, reconoce que la clase dominante isleña aún no había logrado proponer una utopía social que definiera la sociedad más allá de la frontera de sus intereses de clase. En la lucha de clases de los años treinta, Martínez Nadal pide a gritos el sacrificio de los sectores privilegiados en aras de la calma deseada:

> es más necesario que nunca disponernos a todas las privaciones económicas y desprendimientos, y agruparnos alrededor de los líderes nacionales e insulares con autoridad para ayudarles cordial y noblemente a resolver las dificultades económicas, a ser humanos y justos con las masas populares, y a poner un sedante al dolor del pueblo que calme su mente alterada por su desgraciada situación, y lo convierta a su vez en el principal mantenedor de sus líderes y sus principios democráticos.[33]

Pero el logro de ese proyecto presentó obstáculos mayores. En su intento por lograr la hegemonía, el anexionismo de los años treinta mostraba como debilidad fundamental la

[32] "Manifiesto del Partido Unión Republicana", *El Mundo*, 12 de marzo de 1932.

[33] "Discurso de Rafael Martínez Nadal, el cuatro de julio de 1933"; *El Mundo*, 5 de julio de 1933.

ausencia de una propuesta cultural; sobre todo, en el debate entre el nacionalismo y el independentismo en torno al problema de la lealtad. El nacionalismo recalcaba la solidaridad de la comunidad de puertorriqueños, basada en la cultura compartida. Los anexionistas, en cambio, veían la sociedad como un conjunto de individuos leales a un estado, el norteamericano. Estas percepciones contradictorias tuvieron múltiples manifestaciones y consecuencias. A veces éstas se expresaron en el uso ambiguo de la noción de *pueblo,* al tratar de buscar recursos de identidad fuera de la sociedad puertorriqueña. Por ejemplo, celebrando festividades patrióticas que formaban parte de la vida e historia del pueblo norteamericano e idealizando la ciudadanía de los Estados Unidos. Fieles a la tradición norteamericana, Martínez Nadal y los republicanos concebían la lealtad como un sentimiento hacia las instituciones del Estado y no como el resultado de la solidaridad hacia el cuerpo social. La concepción de lealtad, desprovista de contenido socio-cultural, se expresa claramente en las siguientes palabras del líder republicano:

> Nunca desmayamos un instante en fomentar en el corazón y en la mente de los puertorriqueños el amor y la lealtad *a las instituciones democráticas de la gran república del Norte.* Sacrificamos los años mejores de la juventud, consagrados austeramente al culto y propaganda de estos altos ideales, porque en ellos existía dignidad para nuestro pueblo y por ellos podría llegar un momento en que nuestra patria tuviera una completa y total soberanía interna para regir sus destinos, en que estuviéramos en un plano de igualdad con los ciudadanos de los Estados Unidos...[34]

De todos modos, las ideas anexionistas no tuvieron mucho éxito en este período, que marcó el comienzo del desmoronamiento del Puerto Rico rural y azucarero. La expansión del Partido Popular y la división de los republicanos a principios de la década del cuarenta debilitaron aún

[34] *Ibid.* (Enfasis mío).

más las posibilidades del proyecto. Pero los cambios económicos y sociológicos que impulsaba el *Nuevo Trato* abrían espacios para el surgimiento de nuevos grupos, y nuevas visiones de la estadidad.

II. El anexionismo moderno

La década del cuarenta fue un período de transición en la historia política puertorriqueña. El primer lustro del decenio fue testigo de importantes realineamientos en los agrupamientos políticos. Y los cambios que se desencadenaron luego de finalizada la *Segunda Guerra Mundial* tuvieron un impacto decisivo sobre los partidos y sus ideologías. El viejo colonialismo, con su monocultivo azucarero y su *establishment* anglosajón en la isla, sin lugar a dudas creó dificultades para que la idea de anexión echara raíces. En el medio político de inicios de los cuarenta el anexionismo fue un movimiento dividido.[35] Pero la manera en que se iba transformando la sociedad puertorriqueña de ese período trastocó ese orden de cosas. La expansión del Partido Popular, el surgimiento del Partido Independentista, y la reunificación de los anexionistas en el Partido Estadista Puertorriqueño, fueron aspectos sobresalientes de cambios sociales mucho más profundos.

Luego de finalizada la Segunda Guerra Mundial, Puerto Rico sufrió cambios que, al quebrar los pilares agrarios que habían sostenido la organización partidista, generaban nuevas condiciones de lucha política. La suerte del sistema agroexportador quedó fatalmente sellada ante el interés del estado metropolitano por promover la entrada de capital manufacturero a la isla. Esta tendencia debilitaba hasta la muerte a los viejos grupos azucareros que habían dominado el movimiento anexionista desde principios de siglo, estimu-

[35] A comienzos de la década del cuarenta el anexionismo es un movimiento fragmentado. En 1940 se dividió en dos segmentos: la Unión Republicana, y la Unificación Tripartita, representativos de tácticas divergentes. No fue hasta 1948 que los republicanos, agrupados en el Partido Estadista Puertorriqueño, comenzaron a recuperarse.

lando la entrada de nuevos elementos en la arena política.

La reorganización del capitalismo, de su pivote agrario a su eje industrial, transformó la sociedad y trastocó la naturaleza de los conflictos políticos. El orden económico que se edificaba incrementó la magnitud e importancia política de una nueva pequeña burguesía, alojada en el mundo de las profesiones y los servicios de la red urbana.[36] De igual forma disminuyó la importancia de la clase trabajadora en la ruralía (proletarios y campesinos), aumentó la fuerza trabajadora en la manufactura, pero también aumentó el número de desposeídos urbanos. De este proceso surgieron nuevos protagonistas políticos y nuevas formas de lucha que acabaron por derrumbar las instituciones que se habían montado sobre el andamiaje agrario. Los grupos que nacían y se desarrollaban al calor del nuevo orden social fueron redefiniendo las ideas heredadas y formulando nuevas estrategias de lucha.

Finalmente, en la región del Caribe ocurrieron cambios que impactaron la organización partidista isleña. La formación de nuevos estados independientes redujo la injerencia histórica de las viejas potencias coloniales (Inglaterra, Holanda y Francia) sobre los países de las Antillas, lo que se tradujo en un incremento de las preocupaciones geopolíticas y militares de los Estados Unidos. El establecimiento del *Estado Libre Asociado*, tenía una doble racionalidad. Servía para incorporar más activamente en ese esquema a la clase política isleña, clase desbancada que por años reclamó alguna forma de participación en el manejo de la estructura de gobierno local. Por otro lado, representaba una fórmula de mayor integración a los Estados Unidos. Esto lo comprendieron bien aquellos elementos del liderato anexionista que se aprestaron a dar su respaldo al nuevo arreglo político.[37]

[36] Juan Manuel Carrión, "The Petty Bourgeoisie and the Struggle for Independence in Puerto Rico", en Adalberto López (ed.), *The Puerto Ricans: Their History, Culture and Society* (Schenkman, 1980); pp. 233-256.

[37] Antonio Fernós Isern, *Estado Libre Asociado de Puerto Rico: antecedentes, creación y desarrollo hasta la época presente* (Editorial Universitaria: 1974); ver discurso de Celestino Iriarte al firmarse la Constitución, en *El Estado*, V:28 (febrero-marzo, 1952).

El movimiento anexionista fue uno de los principales beneficiarios de ese nuevo orden de cosas. El acelerado declinar del independentismo servía de acicate a las esperanzas de los anexionistas puertorriqueños de que, por fin, las barreras culturales se iban desvaneciendo, y la investidura de gobierno propio afirmaba la idea de un Puerto Rico en la antesala de la estadidad. Pero más importante aún, la revitalización del movimiento provino de la ampliación de la desigualdad social en la isla, y la capacidad de sus ideólogos de pintar la imagen de la anexión como una reivindicación de pueblo.

Viejos republicanos, nuevos anexionistas

Las organizaciones republicanas de inicios de la posguerra, el *Partido Estadista Puertorriqueño* (1948-1953) y el *Partido Estadista Republicano* (1953-1968) tuvieron un liderato de ideales contradictorios. Diversos grupos sociales confluyeron en la reconstrucción del movimiento anexionista después de 1945. El proyecto aglutinó viejos propietarios vinculados a la economía agroexportadora, nuevos propietarios relacionados con la manufactura y las finanzas y representantes de otros sectores que fueron surgiendo al calor de la reorganización del capitalismo en Puerto Rico.

Para mediados de la década del cincuenta ya era evidente que existían visiones encontradas sobre la doctrina y estrategia anexionistas. El debate del liderato anexionista durante el período de 1945 a 1960 reveló la presencia de dos tendencias más o menos claras. Una de las corrientes era cautelosa, portadora de una concepción *agrarista* de la estadidad y la otra, más agresiva, intentaba esbozar un nuevo proyecto a la luz del ámbito político que se iba abriendo. La lucha que se desencadenó entre *Miguel Angel García Méndez* y *Luis Ferré* fue, más que una pugna de personalidades, una batalla por definir la estrategia para la estadidad.[38]

---

[38] Aarón Gamaliel Ramos, "La revista 'El Estado' en la historia del anexionismo puertorriqueño, 1945-1960", *Revista de Historia*, I:2 (julio-diciembre, 1985), pp. 215-221.

La fortaleza del independentismo a comienzos de la década del cincuenta fue una preocupación del anexionismo isleño. Los republicanos afirmaban la necesidad del control norteamericano sobre Puerto Rico, como garantía de sus intereses económicos. Recalcaban la importancia del azúcar como sostén económico de la sociedad puertorriqueña.[39] Sus ideólogos más destacados, atemorizados frente al auge independentista, defendieron con habilidad la idea de que, en la estadidad, Puerto Rico lograba una forma de soberanía.

> En el estado, como parte de nuestra nación, compraremos y venderemos a todo el Mundo y con nuestro infinito Tesoro Nacional nos bastaremos, hasta para extender nuestras benefactoras manos hacia nuestros pueblos, y ayudándolos a comprender cómo es que los pueblos se hacen grandes y felices por el buen uso de la libertad y de la Independencia en todas sus manifestaciones.[40]

El movimiento estadista sufrió el impacto de los cambios que se fueron verificando en el estado metropolitano. De una parte, el incremento del elemento militar, derivado de la Segunda Guerra Mundial, trajo consigo cambios en las *fronteras nacionales*. De otra, la estadidad de Alaska y Hawaii en 1959 se sumó a la lógica geopolítica. Esta dimensión militar de la anexión permeó las discusiones anexionistas en Puerto Rico durante los años cincuenta.[41]

De otro lado, en el auge expansionista del capitalismo de posguerra un sector significativo del republicanismo norteamericano se identificó con los postulados históricamente

---

[39] Por ejemplo, Miguel Angel García Méndez, "Discurso", Revista *El Estado*, 37:1954, p. 35; J.B. García Méndez, "What Puerto Rico's Sugar Means to the United States Economy" (*El Estado*, 26:1951); "What Sugar means to Puerto Rico" (*El Estado*, 24:1951).

[40] Eduardo López Tizol, "Independencia separada, nunca; independencia anexada, siempre", Revista *El Estado*, 46, noviembre-diciembre, 1955, pp. 7-9.

[41] Enrique Córdova Díaz, *Modern Republicanism and the Statehood Republican Party of Puerto Rico*, Revista *El Estado*, 51 (nov.-dic., 1956), pp. 15-16.

asociados con el *liberalismo* económico, afirmando la intervención del estado en actividades económicas y su responsabilidad social. Estos cambios en la filosofía social del GOP* se dejaron sentir en el seno del Partido Estadista. La crítica de los nuevos elementos hacia la vieja guardia tuvo un tema recurrente. Pensaban que la identidad histórica del partido con los grandes intereses agrarios era impedimento para incrementar el apoyo popular. Lamentaban que la filosofía social conservadora que informó la trayectoria del movimiento los hubiera alejado del *Welfare State*. Enrique Córdova Díaz resumía la crítica en los siguientes términos:

> No hay duda de que en el pasado, y aún hoy en cierta medida, la gente en los Estados Unidos ha asociado al Partido Republicano con el conservadurismo, con la tendencia a favorecer a las grandes empresas y a olvidarse del hombre común... Así vemos en la Nación la necesidad de que el Partido Republicano se transforme en un partido liberal progresista y realista con líderes que crean en este principio y, lo que es más importante, que puedan ir a la Nación con la seguridad de que la gente va a creer en su sinceridad. El Partido Estadista Republicano en Puerto Rico también debe cambiar las ideas y programas de vieja guardia... debe auspiciar programas liberales progresistas...[42]

Mientras García Méndez, Celestino Iriarte, Ramiro Colón y otros exaltaban los intereses agrarios, preocupó a Ferré, como líder del otro bando, la elaboración de un programa capaz de viabilizar la toma del gobierno. Es curioso que durante el proceso eleccionario de 1956 el PER contara con dos programas. Uno, el de García Méndez, mantenía las viejas promesas, y otro, de Ferré, comenzaba a esbozar un interés social.[43]

* GOP, Grand Old Party (Partido Republicano de los Estados Unidos).

[42] La revista *El Estado* (55, agosto-septiembre, 1957) revela la participación de Ferré en el Comité Asesor de Seguridad Nacional de Estados Unidos; ver artículo de Gen. Pedro Del Valle sobre la importancia estratégica de Puerto Rico (*El Estado*, 60, julio-agosto, 1958).

[43] El PER es examinado por Robert W. Anderson en su *Gobierno y partidos políticos en Puerto Rico*, Tecnos: Madrid, 1970.

El movimiento anexionista puertorriqueño de los sesenta fue mucho más que el *Partido Estadista Republicano*. Para inicios de esa década ya se habían formado varias agrupaciones anexionistas, muchas de ellas apenas relacionadas tangencialmente con el PER: *Ciudadanos Pro Estado 51, Acción Pro Estado Federado, Asociación Universitaria Pro Estadidad*, y otras agrupaciones que afirmaban diversas ideas de la estadidad.[44]

Los actores políticos de este período proponen diversas justificaciones para la anexión. Las más comunes son el acceso a una civilización dominada por la ciencia y la tecnología, la garantía de protección de una sociedad abundante, el *civismo* del orden social norteamericano. Cada una de ellas conllevaba un significado distinto. Los desposeídos veían en la estadidad la protección de un Estado benefactor. Para otros, preocupados por la realidad de un mundo dividido y la *Guerra Fría*, la estadidad tenía el acento en la seguridad. En cierta medida, el éxito de Ferré como dirigente del anexionismo moderno se debió a su capacidad para articular la promesa de organización social que enlazaba este conjunto de imágenes y sentidos.

Para Ferré la estabilidad política debía estar basada en la abundancia económica:

> Es nuestra opinión que en una democracia sabiamente organizada, tanto desde el punto de vista político como del económico, y dado el progreso técnico de nuestra civilización todos deben tener derecho a la garantía de un mínimo de comodidades que aleje también de ellos el espectro de la escasez, y les permita dedicarse con entera libertad al logro de sus aspiraciones.[45]

Por ello proponía la construcción de un orden social que eliminara los abismos de clase:

[44] Luis Martínez Fernández, *El Partido Nuevo Progresista...* construye una lista de organizaciones estadistas al margen del PER; p. 20.

[45] Luis A. Ferré, "Justicia social, seguridad económica y libertad política", en *El propósito humano*, Ediciones Nuevas de Puerto Rico, San Juan, 1972, p. 19.

...No podemos acusar ni a los que tienen capital, de
logreros y egoístas, ni a los que son pobres, de vagos e
irresponsables. Los dos son víctimas de un error común
y de un sistema de organización social que jamás ha
tratado de satisfacer de una manera práctica y equitativa las necesidades generales de la comunidad.[46]

Todo esto conllevó cambios fundamentales en la estrategia política del movimiento. El republicanismo de los cuarenta se caracterizó por un empeño en *convencer* a la
metrópoli de que era importante realizar la total anexión de
Puerto Rico. El anexionismo moderno vislumbraba la estadidad como el resultado de la acción de masas desde el interior del territorio. Esta transición, de la táctica de la
negociación a la del *grupo de presión*, descansaba sobre dos
pivotes fundamentales: el incremento de la pobreza urbana y
la ampliación de los roles sociales del estado capitalista.
Evidentemente, el **PER** no fue capaz de incorporar las diversas tendencias que nacían y crecían a su alrededor, ni de
articular una ideología que pudiera movilizar los sectores
sociales más adversamente afectados por la política industrial y social generada por los Populares.

El surgimiento del **PNP** en 1967 fue la respuesta a esa
doble exigencia.

La democracia capitalista

Luis Ferré fue uno de los actores políticos más decisivos
en la reconstrucción del anexionismo durante la posguerra.
Las concepciones políticas de este líder se entrelazan de
manera especial con su biografía. Como burgués industrial,
desde que se inició en la vida política durante los años
treinta, intentó formular una crítica del capitalismo agrario.
Su formación profesional como ingeniero también debe de
haber marcado su ideología. Su pensamiento político preco-
niza una visión de mundo confiada en la victoria final de la
técnica sobre los problemas de desigualdad social y pobreza.

[46] *Ibid.*

El marco del capitalismo industrial sirvió de base a esta nueva propuesta de estadidad, la cual delineaba el desarrollo de una *democracia industrial* que "corregiría las condiciones de vida injusta e impropia" de los puertorriqueños.[47] En la construcción de la sociedad basada en el consenso entre clases, Ferré concebía una alianza entre la clase trabajadora y la burguesía industrial (que curiosamente caracteriza como una *clase media*);

> He ahí las dos clases cuya emancipación y protección constituyen el objetivo supremo del gran *Partido Estadista Puertorriqueño:* las clases media y obrera. Sobre estos dos puntales de la sociedad democrática es que se ha de levantar el gran edificio de nuestra libertad y nuestra prosperidad.[48]

A la altura de los años sesenta, Ferré fue un personaje confiado en la victoria final de la estadidad. Frente a la desesperación de la vieja guardia republicana, Ferré opuso un estilo burocrático que vislumbraba la estadidad como el destino inexorable de la modernización de Puerto Rico. Sería la propia transformación industrial la que crearía las condiciones del consenso necesario para la anexión total. En esa tentativa fue construyendo su propia base de apoyo, afinando intereses con los grupos de profesionales corporativos que se vinculaban al nuevo orden industrial de la posguerra, e impulsando la recuperación del populismo urbano que nutría el ideal en sus mejores tiempos.

Hay elementos de continuidad histórica en esta expresión del anexionismo puertorriqueño. De cierto modo, Ferré toma el proyecto anexionista donde Martínez Nadal lo había dejado. Exige de la clase dominante cierta responsabilidad para con la sociedad en su conjunto, y le da un nuevo significado a la propuesta de *paz social.*

---

[47] Luis Ferré, "El Patrimonio para el progreso: hacia la eliminación de las injusticias sociales", en *El propósito humano,* pp. 77.

[48] Luis A. Ferré, "El progreso de nuestra isla", Revista *El Estado,* 45 (sept.-oct., 1955), p. 5.

El capitalismo mercantilista, que consideraba su función la mera creación de beneficios sin ningún sentido de responsabilidad social, ha dado paso a la democracia industrial, que considera su legítimo objetivo el ejercicio de su función económica como medio efectivo para el desempeño de una función social.[49]

En su discurso exalta las virtudes del capitalismo industrial, suprime los conflictos sociales, y propone un orden social armonizado por la tecnología y la responsabilidad social de los empresarios. Su propuesta hace hincapié en la necesidad de construir un nuevo orden social fundamentado en la colaboración entre capitalistas y trabajadores:

La nueva actitud industrial, que es responsable del enorme progreso económico de los Estados Unidos y de la que somos nosotros discípulos, no considera al empleado como un peón a quien puede maltratarse, sino como una parte consciente e integrante de su organización, cuya salud y estado de ánimo tienen inmediato reflejo sobre su capacidad productiva. En este nuevo orden de cosas tiene el empleado, así como el capital, derecho a recibir una parte correspondiente del beneficio obtenido.[50]

La concepción de una alianza de ricos y pobres en el proyecto de reconstrucción de Puerto Rico desemboca, en 1972, en la propuesta de *Patrimonio para el Progreso*.[51] La idealización de una sociedad donde todos fueran capitalistas era, más que un ardid político, una idea firmemente enraizada en el pensamiento de Ferré. Pero la utopía se estrellaba contra las realidades del Puerto Rico pobre y dependiente de los años setenta. Tomó apenas el período de su gobernación (1969-1973) para que se desmoronara la doctrina desarrollista y la táctica cautelosa que sirvieron de guía al liderato de Luis Ferré.

[49] Luis A. Ferré, "Democracia Industrial", en *El propósito humano*, p. 25.

[50] Luis Ferré, "Un porvenir decente y feliz para el trabajador", en *El propósito humano*, p. 12.

[51] "Carta al Speaker de la Cámara de Representantes, 9 de marzo de 1972", en *El propósito humano*, pp. 76-78.

Ese fracaso tuvo consecuencias importantes en las concepciones ideológicas y las prácticas políticas del *Partido Nuevo Progresista*.

El anexionismo de base popular

Con el ascenso de Carlos Romero Barceló a la dirección del *Partido Nuevo Progresista* en 1974, el movimiento anexionista inició cambios importantes en su identidad política. Romero se aleja de la política trazada por Ferré por dos vías. En primer lugar sustituye el liderato republicano tradicional por cuadros jóvenes, provenientes de sectores medios y desposeídos. En segundo, pone fin al discurso de conciliación que había impulsado el viejo líder. Bajo Romero, la estadidad comenzó a verse no como una concesión, sino como derecho ciudadano a ser exigido. En ese proceso de transformación ideológica el PNP retomó la crítica del colonialismo.

La sustitución de la vieja guardia republicana por cuadros jóvenes (muchos de los cuales se formaron políticamente lejos del republicanismo), no trastocó, en lo fundamental, la orientación clasista del partido. Pero la incorporación de elementos de extracción popular a la organización tuvo consecuencias en los postulados y la estrategia del movimiento. El PNP de los setenta dio inicio a la recreación de la tradición anexionista elaborando un proyecto que pudiese contemporizar con las condiciones sociales vigentes: la pobreza urbana, el desempleo y la enorme dependencia de fondos federales.

En Romero hay dos preocupaciones fundamentales. Una es la ampliación de la base del movimiento a fin de convertirlo en factor de presión hacia los Estados Unidos y la otra es reinterpretar el problema cultural.

A los nuevos anexionistas les preocupó el problema de superar el obstáculo del *consenso*, condición que, desde que se hicieron los primeros avances de incorporación a inicios del siglo, la metrópoli proponía como necesidad indiscutible. Romero confió en que podía proveer la base *amplia* para el movimiento de los pobres de Puerto Rico. Como dirigente del partido afianzó las bases tradicionales de apoyo urbano del anexionismo y logró penetrar efectivamente en áreas históricamente reservadas para la oposición. La magnitud de la victoria electoral de 1976 fue reflejo de la fortaleza que adquiría el anexionismo bajo los postulados que trazaba su nuevo líder. Para Romero éste era un punto clave. Por eso, en *La estadidad es para los pobres*, comienza su prédica con una crítica a la utilización por el PIP de la consigna *¡Arriba los de Abajo!*

Romero consideró que las condiciones estaban maduras para darle un giro distinto al debate de la cuestión nacional. Históricamente, el anexionismo había dado variadas respuestas al problema planteado por la incorporación a los Estados Unidos de una entidad cultural distinta. Algunos invocaron el marco federativo, como "fórmula ideal para la unión política de pueblos heterogéneos, social, económica y culturalmente".[52] Otros, como Ferré, le restaron importancia a la pertinencia del problema cultural. En la propuesta de *estadidad jíbara*, por ejemplo, las diferencias nacionales se presentaban como un lastre que sería removido por el avance de una civilización capitalista global. El nacionalismo habría de ser sustituido por un pluralismo de escala mundial:

> El mundo moderno está abandonando los nacionalismos culturales. El viejo concepto de las diferencias culturales está moribundo. En su lugar, debemos enriquecernos con las diversas culturas, a fin de lograr un grado mayor de inteligencia y comprensión.[53]

La visión romerista del problema presenta una ruptura significativa. Propone la imagen de Puerto Rico como *minoría étnica*, luchando por derechos ciudadanos en el ámbito metropolitano. La vieja visión es políticamente aséptica;

---

[52] Reece Bothwell, "Puerto Rico en la federación norteamericana", Revista *El Estado*, 6 (jul.-ago., 1946).

[53] "A Talk With the Candidates", entrevista a Luis Ferré, *San Juan Review*, I:9 (oct., 1964), p. 13. (Traducción de la editora).

rehúye el problema. La nueva contiene una carga política evidente. Como minoría nacional, los puertorriqueños deben luchar por objetivos políticos dentro de un estado multiétnico. Fue mucho más lejos que sus predecesores al proponer el problema de la nacionalidad como un problema de poder:

> Ningún grupo étnico, racial o religioso dentro de ninguna nación ha sido capaz, históricamente, de alcanzar la igualdad social y económica si no ha alcanzado primero la igualdad política.
>
> Los puertorriqueños estamos comprometidos con la preservación de nuestra identidad como pueblo, y estamos comprometidos con la preservación de nuestra ciudadanía americana... es nuestro deber insistir en la lucha por obtener la igualdad política.
>
> Los irlandeses lo lograron. Los italianos lo lograron. Los judíos lo lograron. Los negros lo están logrando. Las mujeres lo están logrando. Y los puertorriqueños también tienen que lograrlo.[54]

El PNP se encontró en una posición privilegiada como partido colonial. La crisis social que amenazaba a la sociedad puertorriqueña fue motivo de preocupación en la metrópoli, que con avidez buscaba opciones para controlar la crisis política en ciernes. La ideología de anexión se *mercadeó* en los Estados Unidos por su capacidad de movilizar los sectores más marginados de la sociedad isleña, desarticulando las expresiones de protesta social que se iban generando. El PNP intentó desgarrar las expresiones comunitarias, sustituyéndolas con una nueva lealtad partidista que presentaba la dependencia como un reclamo de igualdad y de justicia social.

El igualitarismo tuvo agarre entre los sectores medios vinculados a los servicios públicos y privados, y entre los desposeídos. Por un lado, la crisis económica fue creando en la cima y las capas medias de la sociedad la preocupación de que la crisis económica pudiera afectar sus intereses y niveles

---

[54] Carlos Romero Barceló, "Statehood for Puerto Rico", Congressional Record, 129:46 (April, 1983); y "Puertorriqueños y norteamericanos: en ese orden", en *Forjando el futuro* (Hato Rey: 1978). (Enfasis del autor).

de vida. Para estos puertorriqueños la estadidad significaba el poder mantener el estilo de vida que disfrutaban otros habitantes en la economía del dólar. De otro lado, la retórica de estadidad tuvo un efecto aún más determinante en las áreas pobres del país. En los años setenta Puerto Rico fue una sociedad donde más de dos tercios de las familias del país vivían en una escala bajo el nivel de pobreza y donde cerca de 125 mil familias dependían del gobierno para su sustento. Para éstos el PNP prometía garantizar objetivos más fundamentales. como alimentación, vivienda, salud.

La idea de definir la anexión como un proyecto de los pobres de Puerto Rico iba dirigida no tan sólo a identificar la sociedad desigual como una ventaja para los ricos del *Partido Popular*, sino a desplazar el centro de atención presentándola como la solución de los problemas sociales internos. En su folleto, *La estadidad es para los pobres*, Romero esboza los argumentos principales de este planteamiento:

> ...la infamia que se ha propagado en Puerto Rico acerca de la estadidad es que se trata de algo que es de los ricos para los ricos. La realidad, desde luego, es todo lo contrario. La Estadidad Puertorriqueña será una bendición precisamente para aquellos que están en peores condiciones económicas. Y será una carga más pesada para aquellos que están en mejores condiciones económicas. Aunque, a fin de cuentas, ellos también se beneficiarán con el auge económico que se propiciará cuando Puerto Rico logre convertirse en un estado de la Unión.[55]

El movimiento anexionista de este período se vio estimulado por cambios en el estado metropolitano. Las características que la administración Carter quiso imprimirle a la política social del estado norteamericano fueron ingredientes claves en la afirmación del movimiento anexionista puertorriqueño. La política social doméstica bajo la Administración de Carter se fundamentó en la concepción de

---

[55] Carlos Romero Barceló, *La estadidad es para los pobres*, segunda edición, San Juan, 1974

los Estados Unidos como una nación de minorías. El propio Carter concebía su misión presidencial como una de integración nacional. Las consecuencias de este cambio se dejaron ver en la apertura que hizo el *Partido Demócrata* hacia la participación de las minorías y el aprovechamiento que hizo el PNP de esa coyuntura.

Contrario al PPD, El PNP entró en la arena política norteamericana sin reservas. Controlaron el *Partido Demócrata* local y asumieron posiciones en los foros norteamericanos de ese Partido. Por un lado, aprovecharon la magnitud de la población hispana en los Estados Unidos (sobre 15 millones, de los cuales más de 2 millones son de ascendencia puertorriqueña) para abrirse paso en los órganos de ese Partido. Pero, más importante aún, utilizaron ese poder numérico para ejercer presión sobre los políticos norteamericanos respecto del apoyo del proyecto estadista para Puerto Rico. Sin embargo, este activismo tuvo poca repercusión en Puerto Rico. Más bien estaba orientado al mercado de los centros de toma de decisiones de los Estados Unidos.

Los nuevos anexionistas realizaron una desfiguración del modelo de colonialismo interno para avanzar una doble idea. Primero, postularon que Puerto Rico era una colonia y que en la lucha por la estadidad constituía un territorio sin franquicia ciudadana, manejado por una metrópoli renuente a realizar cambios políticos. Segundo, que los puertorriqueños constituían una minoría nacional en el ámbito del estado, que luchaba por incorporarse al mecanismo político, a fin de realizar avances económicos y sociales. En un artículo de la revista *Foreign Affairs,* Romero coloca el problema de Puerto Rico en los siguientes términos:

Por espacio de 440 años Puerto Rico fue una colonia de España. Luego de la Guerra Hispanoamericana, se le transfirió la soberanía de la isla a los Estados Unidos, una nación que, en deferencia a sus propios orígenes revolucionarios evade utilizar el término "colonia" al referirse a sus posesiones. Así, al finalizar el siglo XIX, Puerto Rico cesó de conocerse oficialmente como una

"colonia" y se le designa, eufemísticamente, como un
"territorio no incorporado".[56]

Esto se tradujo específicamente en un intento de promover cambios en la estrategia de incorporación. Lejos de esperar a que los Estados Unidos hicieran un juicio favorable a la anexión del territorio caribeño, los nuevos estadistas adoptaron como modelo el *Plan Tenesí*, mediante el cual un territorio aspirante a formar parte de la organización de estados completaba su delegación congresional y procedía a reclamar sus asientos en el Congreso, previo al reconocimiento de la anexión.[57] Con la publicación de *Breakthrough from Colonialism* en 1984, el movimiento anexionista isleño intentó promover una estrategia, cimentada en la experiencia de los territorios que se convertirían en estados. Pero todo el entusiasmo intelectual perdía de vista un factor cuyo impacto sobre el Puerto Rico moderno aún no ha sido examinado cabalmente. Se trata de la emigración. Para los viejos republicanos la estadidad tuvo el significado geográfico concreto de que el territorio mismo debía constituirse en estado de los Estados Unidos. Pero, en el Puerto Rico moderno, la posibilidad de estadidad adquiere un sentido distinto. Para muchos puertorriqueños la estadidad puede ser una realidad inmediata, mediante la emigración a la Florida, Texas o Nueva York.

¿Una nueva era?

Existe una relación histórica interesante entre los cambios políticos que se han verificado en el Estado norteamericano y los efectos que ellos han tenido sobre la política puertorriqueña. La depresión de los años treinta, que produjo a Roosevelt y el *Nuevo Trato* en los Estados Unidos,

[56] Carlos Romero Barceló, "Puerto Rico, U.S.A.: The case for Statehood", *Foreign Affairs* (Fall 1980), pp. 60-81. (Trad. de la editora).
[57] Nélida Jiménez Velázquez y Luis Dávila Colón, "The American Statehood Process and Its Relevance to Puerto Rico's Colonial Reality: A Historical and Constitutional Perspective", Woodrow Wilson International Center for Scholars, Washington, D.C., 16-18 de abril, 1980.

asestó un golpe contundente a la *Coalición* y al *Partido Liberal*. La creación y el desarrollo del *Partido Popular* estuvo informada, sin duda, por las fuerzas que moldearon al estado metropolitano en ese período.[58] Del mismo modo, las fuerzas políticas y sociales que precipitaron la victoria de Ronald Reagan en 1980, y el *Nuevo Feaeralismo*, tuvieron un impacto decisivo sobre la organización partidista isleña.

Los cambios en la política norteamericana en los ochenta tuvieron como rasgo fundamental la reducción de las partidas de fondos federales destinadas a programas sociales y el incremento de las partidas de gastos militares. Para Puerto Rico eso significó el debilitamiento de los fundamentos ideológicos que sostenían al PNP y el desarrollo de una nueva conciencia geopolítica en los grupos dirigentes en Puerto Rico. Irónicamente, aunque la retórica de la Administración Reagan afirmaba el compromiso con la estadidad, los cambios que estimulaba estremecieron al anexionismo puertorriqueño.

Si el *Nuevo Trato* fue una bendición para los sectores sociales más adversamente afectados por la depresión de los treinta, la política del estado norteamericano de los ochenta era una victoria definitiva para la clase dominante norteamericana. La propuesta de desmantelar el *Welfare State* presentaba importantes interrogantes para el movimiento estadista. Una de esas preguntas se relacionaba con la viabilidad de una propuesta estadista que pregonaba ser para el beneficio de los sectores más pobres. Para los *policymakers* conservadores la pregunta con relación a la anexión de Puerto Rico era evidente. ¿Cuáles serían los efectos de incorporar una entidad pobre y dependiente? La otra interrogante era de naturaleza geopolítica y militar. Para los Estados Unidos, Puerto Rico debía cumplir un rol dentro del *Plan del Caribe*. Pero, ¿era la estadidad un componente necesario de ese plan dentro de la política diseñada para la América Central y el Caribe por el estado norteamericano de los ochenta? En esa encrucijada en

---

[58] Ver: Thomas Mathews, *La política puertorriqueña y el Nuevo Trato*, Editorial Universitaria, 1975.

que toda otra racionalidad para la anexión quedaba debilitada, surgieron voces estadistas que retomaban un viejo tema:

> ...la administración del Presidente Reagan debe comprender la importancia estratégica y de política exterior que tiene Puerto Rico en el Caribe... Debe tratar de lograr que se incorpore a Puerto Rico en el desarrollo e implantación de políticas y programas de los Estados Unidos dirigidas a promover un mayor desarrollo político, económico y social en la región...[59]

Detrás de la pugna entre Romero y Padilla se debatían cuestiones estratégicas significativas. En la discusión que dio base a la *Declaración de Loíza,* que sirvió de preámbulo a la formación del *Partido de Renovación Puertorriqueña;* afloraban con nitidez dos posturas anexionistas: el proyecto de Romero, y el Plan Padilla. El primero continuó haciendo uso de una retórica que la Administración Reagan repudiaba. Padilla, en cambio, intentó insertarse con avidez en las concepciones del estado metropolitano. Los énfasis eran antagónicos. Romero criticaba el *vínculo colonial* y proponía una *revolución pacífica* hacia la estadidad. Padilla, preocupado por la crisis interna del PNP (que tuvo como datos sobresalientes la corrupción gubernamental y el *Cerro Maravilla*) pedía tiempo para lograr consenso en favor de la anexión:

> Cuando la mayoría de nuestro pueblo se convenza y se sienta seguro de que los estadistas podemos darle tranquilidad, seguridad y progreso, entonces ese pueblo estará más receptivo a nuestra invitación para que se nos una. La estadidad es un instrumento de cambio y reforma social y política que requiere tiempo, pero más que nada, requiere consenso de pueblo.[60]

[59] Hernán Padilla, "A Report to the Reagan Administration and the White House Task Force on Puerto Rico", The White House, June 12, 1981; también: Carlos Romero Barceló, "Puerto Rico, U.S.A.:...", pp. 60-81.
[60] Hernán Padilla, "Voto explicativo sobre la Declaración de Loíza", *El Nuevo Día,* 28 de febrero de 1983.

A partir de 1984 se quiebra la alianza que se había montado con fragilidad desde 1967. Sin embargo, la fragmentación del movimiento en los ochenta no ha desembocado en un debate de doctrinas y estrategias. Es más bien un movimiento sin propuesta. Algunos de sus ideólogos proponen la estadidad como una amenaza.

> Cuando los poderes federales se den cuenta de que el no acceder a descolonizar a Puerto Rico conllevaría tal vez el cumplimiento de la amenaza de la independencia unilateral, la bomba demográfica de millones de puertorriqueños que caerían sobre los presupuestos de las ciudades americanas sin dinero para alojamiento, hospitales y escuelas; cuando piensen en la posibilidad de perder las únicas bases navales que les quedarían en el Caribe, los federales no tendrán más remedio que conceder la estadidad.[61]

El anexionismo fracasó en su coyuntura más fértil. La estrategia romerista entró en crisis, y bajo el liderato de Corrada del Río, el PNP aún no logra definir los fundamentos de una nueva propuesta. Es irónico que luego de casi un siglo de dominación norteamericana en Puerto Rico los anexionistas se encuentren ante disyuntivas similares a las que confrontó el movimiento en sus inicios. Proponen planes que no están contenidos en la política metropolitana. Esa parece ser su mayor debilidad. Pero ningún análisis del futuro de esta ideología debe subestimar la capacidad movilizadora de su mitología.

---

[61] Oreste Ramos, "El PNP: o pare o revienta", *El Nuevo Día*, 10 de mayo de 1987.

BIBLIOGRAFIA MINIMA

El lector interesado en adentrarse más en la comprensión del fenómeno anexionista podrá consultar los siguientes trabajos.

Existen varios ensayos que pretenden una síntesis histórica del movimiento. Por ejemplo: Ilya Villar y Haroldo Dilla, "Tendencias anexionistas en el proceso político puertorriqueño", *Cuadernos de Nuestra América*, I:0, 1983; Aarón Gamaliel Ramos, "The Development of Annexationist Politics in Twentieth Century Puerto Rico", en Adalberto López (ed.), *The Puerto Ricans: Their History, Culture and Society* (Cambridge: Mass.: 1980).

El período de transición entre la dominación española y la norteamericana ha ocupado la atención de los historiadores. Los libros de Pilar Barbosa de Rosario, publicados en la Serie *Historia del autonomismo puertorriqueño* (San Juan: 1957), contienen una apreciación histórica del período comprendido entre el final de la dominación española y el comienzo de la norteamericana. La historiadora también ha editado la obra de José Celso Barbosa en varios volúmenes. El ensayo de Antonio S. Pedreira sobre Barbosa, *José Celso Barbosa, un hombre del pueblo* (San Juan, 1965), arroja luz sobre la intersección entre las experiencias que moldearon su vida y su ideología.

El interés reciente por el estudio del anexionismo isleño ha generado un conjunto de trabajos importantes: por ejemplo, Edgardo Meléndez Vélez, "La estadidad como proyecto histórico: del anexionismo decimonónico al proyecto republicano en Puerto Rico", *Homines*, VIII:2 (junio 1984 a enero 1985), pp. 9-30. Mariano Negrón Portillo, "El liderato anexionista antes y después del cambio de soberanía", *Revista del Colegio de Abogados de Puerto Rico* (octubre 1972); y *Cuadrillas anexionistas y revueltas campesinas en Puerto Rico, 1898-1899* (Río Piedras: 1987).

El anexionismo forma parte de los análisis de la política puertorriqueña que han hecho autores contemporáneos. El libro de Robert Anderson, *Gobierno y partidos políticos en Puerto Rico; seguido de un estudio sobre el plebiscito de 1967 y las elecciones de 1968* (Madrid: 1970), examina el Partido Estadista Republicano a la luz de los cambios socioeconómicos verificados en la temprana post guerra. El problema de la relación entre ideología y clase es tratado con detenimiento por Angel G. Quintero Rivera en *Conflictos de clase y política en Puerto Rico* (Río Piedras: 1976); y por Wilfredo

Mattos Cintrón en *La política y lo político en Puerto Rico* (México: 1980).

Hasta hace poco, los propios anexionistas no se habían aventurado a examinar su ideología. Wilfredo Figueroa Díaz, *El movimiento estadista en Puerto Rico* (San Juan: 1979) es un recuento apologético del anexionismo del siglo XX. Antonio Quiñones Calderón, *Del plebiscito a La Fortaleza* (San Juan: 1982), ofrece importante información sobre las luchas intestinas del PER a mediados de la década del sesenta.

Hay fuentes documentales sin examinar. Futuros estudios se nutrirán de las bibliotecas de los actores del anexionismo puertorriqueño (Ferré, García Méndez y otros). Aarón Gamaliel Ramos ha examinado una revista estadista publicada poco después de finalizada la Segunda Guerra Mundial: "La revista 'El Estado' en la historia del anexionismo puertorriqueño: 1945-1960", *Revista de Historia* (Río Piedras: 1985).

La formación del PNP ha sido objeto de estudio por Luis Martínez Fernández en *El Partido Nuevo Progresista; su trayectoria hacia el poder y los orígenes sociales de sus fundadores, 1967-1968* (Río Piedras: 1985). Todavía no hay un estudio completo del movimiento anexionista del Puerto Rico moderno.

En los últimos años ha surgido una literatura que examina el impacto de la ideología anexionista sobre la política actual, y la estrategia del movimiento: Juan Manuel García Passalacqua, *Puerto Rico: Equality and Freedom at Issue* (New York: 1984); Grupo de Investigadores Puertorriqueños, *Breakthrough from Colonialism: An Interdisciplinary Study of Statehood*, 2 vols. (San Juan: 1984); Heine, Jorge (ed.), *Time for Decision: United States and Puerto Rico* (The North-South Publishing Co., Lanham: 1983).

CRONOLOGIA

1868 Grito de Lares; en el movimiento independentista decimonónico participan elementos anexionistas.

1898 Ocupación de Puerto Rico por tropas norteamericanas; el liderato autonomista se declara en favor de la anexión total.

1899 Se funda el Partido Republicano Puertorriqueño en San Juan (25 de marzo).

1900 Primer gobierno civil bajo la Ley Foraker; los republicanos dominan la Cámara de Delegados.

1901 Puerto Rico pasa a ser parte del mercado norteamericano.

1913 La Unión de Puerto Rico elimina la estadidad de su programa.

1917 Ley Jones; ley territorial que incorpora la Carta de Derechos y la ciudadanía norteamericana.

1921 Muere Barbosa en San Juan.

1924 División en el seno del movimiento anexionista: Tous Soto dirige la alianza con los unionistas; Martínez Nadal dirige el sector puro.

1932 Formación del Partido Unión Republicana (de aliancistas, republicanos puros y elementos unionistas); Victoria electoral de la Coalición entre republicanos y socialistas.

1936 Los socialistas se manifiestan en favor de la anexión.

1948 Se funda el Partido Estadista Puertorriqueño. Lo preside Celestino Iriarte.

1952 Dos grandes propietarios, García Méndez y Luis Ferré, dirigen el movimiento anexionista.

1953 El Partido Estadista Puertorriqueño (PEP) cambia su nombre a Partido Estadista Republicano (PER).

1956 Auge electoral estadista.

1959 Alaska y Hawaii se convierten en estados, Muñoz Marín favorece el voto presidencial.

1964 Comisión conjunta de Estados Unidos y Puerto Rico estudia el asunto del status; propone la celebración de un plebiscito.

1967 Ferré dirige el grupo Estadistas Unidos en el plebiscito.

Se disuelve Estadistas Unidos; se forma el Partido Nuevo

Progresista.

1968 El Partido Nuevo Progresista gana las elecciones.

1972 El PNP pierde las elecciones; un año más tarde Romero asume la presidencia del partido.

1976 El PNP gana las elecciones; Romero es gobernador.

En los Estados Unidos varios hispanos que respaldaron a Carter para la presidencia ocupan puestos en la Casa Blanca.

1977 Gerald Ford, presidente saliente, sugiere legislación a favor de la estadidad para Puerto Rico.

1978 Romero promete un plebiscito luego de las elecciones de 1980; cataloga de héroes a los miembros del escuadrón policíaco que asesina a dos jóvenes en el Cerro Maravilla.

1980 Se celebran primarias presidenciales por primera vez en Puerto Rico; en los comicios, el PNP obtiene una victoria limitada.

1983 Se divide el PNP; Hernán Padilla organiza el Partido de Renovación Puertorriqueña (PRP).

1985 Proliferan grupos anexionistas paralelos al PNP; El Movimiento Puertorriqueños en Acción Ciudadana organiza el recogido de firmas en apoyo a la estadidad.

Romero abandona la presidencia del PNP; Corrada asume la presidencia.

1987 Se intensifica la pugna en el alto liderato del PNP; Ferré asume una postura crítica frente a Romero.

Cronología.

**Que viva la Palma!
Que viva Ferré!
y que Dios bendiga
Nuestra Borinquén!**

(1)
Somos niños borincanos
y hoy venimos a cantar
pidiendo la Nueva Vida.
Esto tiene que cambiar!
Esto tiene que cambiar!

(2)
Queremos que los papitos
piensen antes de votar
y que nos den Nueva Vida.
Esto tiene que cambiar!
Esto tiene que cambiar!

(3)
Ferré trae la Nueva Vida.
Ferré dice que lo hará.
Quiere un Puerto Rico bueno.
Esto tiene que cambiar!
Esto tiene que cambiar!

(4)
Votando bajo la Palma
vendrá la felicidad.
El voto es bajo la Palma!
Esto tiene que cambiar!
Esto tiene que cambiar!

FERRÉ lo hará! En tu mano está !

Por encima de la lealtad a un partido están el bienestar,
la felicidad y el futuro de miles de niños puertorriqueños
y de Puerto Rico.

EL PAIS

Pto.-Rico Miércoles 25 de Julio de 1900

25 de Julio

Hoy se cumplen dos años de aquel venturoso día en que apareció por aguas de Guánica la bandera americana envuelta en nubes de pólvora y desplegada por aires de libertad para el pueblo puertorriqueño, aires que pronto disiparon aquellas nubes, dejando lucir el claro sol de la democracia, ante la cual huyeron despavoridos los patrocinadores de la tiranía y del oscurantismo.

De entonces acá, la libertad es un hecho, la seguridad es indiscutible, el progreso avanza lento pero seguro

¡Feliz día, que recordarán siempre con amor y gratitud los buenos puertorriqueños!

En la América del Norte (1899)*

Luis Muñoz Rivera

Vengo de un país cuya pujanza es el asombro del mundo. He podido estudiarle en sus actividades para el trabajo y en sus instituciones para el gobierno. Y le admiro profundamente, lo mismo en sus campiñas fecundas y en sus ciudades industriosas, que en sus leyes, redactadas y cumplidas con el espíritu de una verdadera democracia. En la América del Norte el único poder, la única fuerza, residen en el sufragio. Y esta soberanía popular no es una palabra inútil y vacía: es un hecho real, positivo, incontestable, que informa todos los actos de la administración y se refleja en todas las manifestaciones de la vida. El hombre allí se siente ciudadano: su voto absuelve o condena en los Tribunales; su voto influye en la marcha de la federación, de los Estados, de los Municipios. Y cuando las urnas hablan, las mayorías gobiernan y las minorías se someten y coadyuvan a la obra común; porque no hay motivo para la protesta y el tumulto, allí donde están seguras, donde permanecen invioladas la libertad del hombre y la dignidad del pueblo.

Pero no olvidéis, amigos míos: la grandeza de las naciones estriba en las virtudes de sus hijos; el norteamericano se sacrifica por construir un hogar confortable, una posición sólida, una existencia individual independiente. Y del conjunto de las familias que así se forman y así se reproducen, arrancan los caracteres típicos de la colectividad: la firmeza en el propósito, la energía en la voluntad, la perseverancia en

* Fragmento del discurso publicado en *La Democracia*, el 7 de septiembre de 1899. Reproducido en Luis Muñoz Marín, ed., *Obras completas de Luis Muñoz Rivera*, *Volumen I*, *Campañas Políticas (1890-1900)*, pp. 235-240.

el esfuerzo. Y no creáis que ese modo de ser se limita a las esferas superiores; al negociante de Broadway y al banquero de Wall Street, al propietario de las fábricas, al empresario de las vías férreas, al abogado de fructífero bufete o al médico de clientela abrumadora. No; este modo de ser se extiende al operario de los talleres, al obrero de las minas, al cultivador de los campos; y se extiende más aún: se extiende a la mujer, que estudia, que labora, que produce, que recibe una enseñanza amplísima y que, en todas las clases sociales, posee aptitudes para transformarse en la madre vigorosa, inteligente y discreta de una raza de espartanos.

Contemplando el poder moral y el poder físico de aquella raza, yo, señores, no sentí nunca la envidia: yo sentí el estímulo de llegar a esa altura, de que mi pueblo llegase a esa altura por los artes del trabajo y por los empeños del civismo. Es preciso ir con rapidez a la identidad. El partido liberal desea y pide que Puerto Rico se transforme en un *specimen* de California o de Nebraska, con las propias iniciativas, con las propias leyes, con las propias prácticas: iguales en el deber y en el derecho; iguales en las ventajas; iguales, si hay sacrificios, en los sacrificios. La desigualdad es para nosotros la inferioridad. Y la rechazamos con altivez tan franca y tan resuelta como la altivez que podrían Nueva York y Pennsylvania al rechazar las durezas y los abusos del cesarismo. Que en esto también, y en esto sobre todo, amigos míos, en el noble y legítimo orgullo de los hombres libres, hemos de ser, los de las islas diminutas, iguales a los de los inmensos continentes.

¡Ah, señores! El hijo de esta tierra debe reclamar la identidad, y no conformarse con menos que con la identidad. Pero no sólo es necesario que tenga entusiasmo para desearla; prudencia y brío para conquistarla; calma y paciencia para aguardarla: es necesario que realice el esfuerzo día por día, hora por hora; que cada puertorriqueño prospere en su hogar y que de la suma de estas prosperidades resulte el prestigio y la grandeza del país. Desde el primer instante en que flotó sobre nuestros castillos la bandera tricolor, el partido liberal ayudó en sus tareas al Gobierno americano.

Seguirá ayudándole. Y nunca por sistema pondrá obstáculos en su camino. Como en lo pasado no le creó ninguna traba, tampoco se las creará en lo futuro. Que tenga todas las facilidades; y que tenga también, porque es justo, todas las responsabilidades. Tal es nuestra misión. Y la cumpliremos sin bajezas y sin servilismos. Porque ni las admite la patria de Washington ni somos nosotros capaces de suscribir nuestra ignominia y nuestra mengua. Sirviendo a la causa nacional servimos a la causa insular; pues así como el interés de la isla exige el progreso de la nación, así el interés de la nación exige el progreso de la isla. Y, para ser nosotros buenos y leales puertorriqueños, no podemos ser, no debemos ser, NO QUE-REMOS SER, EN ABSOLUTO, Y SIN RESERVAS, otra cosa que buenos y leales americanos.

Carroza en la celebración del Natalicio de Jorge Washington (Principios de siglo).

Al pueblo norteamericano (1900)*

José Julio Henna

> *"...todo lo que ustedes desearían*
> *de los demás, háganlo con ellos"*

Al Pueblo Norteamericano:

Son éstos momentos difíciles en la historia de su país así como en la de Puerto Rico. Una crisis grave se aproxima; una crisis que concierne muy íntimamente a los ciudadanos de esta Nación libre, y que significa la salvación o la ruina irremediable de "la perla de las Antillas", la supervivencia o la destrucción de un pueblo leal y esperanzado, para el eterno mérito u oprobio de la Unión Americana y su gobierno.

En vista de los acontecimientos notables de las últimas semanas y sus efectos decisivos sobre los destinos de dos países que son —en virtud de compromisos autorizados, tanto reales como implícitos— uno y el mismo, es oportuno que el pueblo de los Estados Unidos se percate de las promesas memorables que se hicieron en su nombre en el momento de la ocupación de nuestra Isla; de lo que está haciendo la Legislatura de la Nación con respecto al cumplimiento de esas obligaciones; y, por último, de lo que los habitantes de la Isla tienen derecho a esperar a título de derechos civiles y privilegios; lo que pueden exigir justamente no sólo para la restauración de su antigua prosperidad, sino para la preservación de su existencia misma.

En el verano del '98 el General Nelson A. Miles y un pequeño ejército lograron una victoria prácticamente incruenta sobre una isla que había sufrido durante cuatro-

---

* Manifiesto de los delegados puertorriqueños a las vistas congresionales a comienzos de 1900, donde se debatía el problema del comercio entre Estados Unidos y Puerto Rico y la propuesta de gobierno civil; Publicado como *Appeal of the People of Puerto Rico to the People of the United States* por José Julio Henna, Azel Ames, Tulio Larrinaga, Jorge R. Latimer, Luis Sánchez Morales y Arturo Bravo. Traducido por Yvette Torres Rivera.

cientos años el yugo del desgobierno español. En vez de enemigos, encontró sólo amigos; en vez de balas y proyectiles, sólo vítores de bienvenida, y al izar allí la bandera que fuera aclamada como símbolo de la salvación de un pueblo, prometió "protección no sólo para los isleños sino también para sus propiedades", y "promover la prosperidad, y conferirles las inmunidades y bendiciones de las instituciones liberales del Gobierno Norteamericano".

Como si no bastase, sin embargo, con dejar al pueblo de Puerto Rico ignorante de su *status* exacto como ciudadanos o súbditos de su país adoptivo, sordo a su clamor y ciego a sus necesidades imperiosas, el Congreso de la Nación ahora se propone sumarle ignominia al dolor e injusticia a la calamidad imponiéndole a la Isla sistemas tributarios y de vasallaje tan inmorales en sus principios como cuestionables en sus propósitos; tan aborrecibles para los norteamericanos amantes de la libertad como detestables para el pueblo que oprimen, e idénticos a aquéllos que llevaron a los patriotas norteamericanos del '76 a combatir y a destruir por la fuerza de las armas al tirano que los imponía.

En contra de la voluntad y el deseo expreso del Primer Ejecutivo en su último mensaje al Congreso; en contra de las promesas solemnes del soldado que izó por primera vez la bandera de la libertad en suelo puertorriqueño; en contra de los consejos del honorable Secretario de Guerra; de los Gobernadores Generales de la Isla; las recomendaciones del Comisionado Especial del Presidente; y el Cónsul General de los Estados Unidos en Puerto Rico; en contra de las justas demandas de los Delegados puertorriqueños; y sobre todo, en contra del sentir combinado de la prensa y de los setenta y cinco millones de personas que ésta representa, la Cámara de Representantes ha aprobado una medida impositiva injusta y detestable, y ahora incluso se ha propuesto que se eliminen todas las medidas para establecer el gobierno civil en la Isla.

El pueblo norteamericano y la prensa, quienes, descartando todas las dudas constitucionales y todos los subterfugios o sofismas, recientemente han exigido para Puerto Rico, con energía y casi a una voz, su *derecho* al comercio libre con los Estados Unidos, se sentirán sumamente sorprendidos e indignados al saber que ahora se ha propuesto que se soborne a la hambrienta y postrada Isla con el arancel reducido y un regalo de $2,000,000, y que se suprima en el Congreso toda legislación para la creación de un gobierno estable —su necesidad más imperiosa— y que se relegue la Isla, por un año adicional por lo menos, a las condiciones ruinosas del gobierno militar.

Ante esta monstruosidad, que significa inevitablemente apagar el último rayo de esperanza en la abatida Isla y abandonarla a las tinieblas de la desesperación, el atropello del arancel no es nada. A pesar de que, como cuestión de principio, nunca podríamos consentir a la imposición de arancel *alguno* al comercio entre los Estados Unidos y Puerto Rico, las tasas reducidas que han sido propuestas (especialmente si se mejoran, como ha sido prometido, con la adición de una generosa "lista franca" de alimentos, etc.), tal vez permitan condiciones tolerables y algo mejores; pero negarnos un *gobierno civil estable*, y las necesidades fundamentales de nuestra propia existencia, que sólo se pueden obtener *a través de él*, es derribar de un sólo golpe cualquier esperanza, promesa y posibilidad de redención. ¿Qué hemos hecho; de qué carecemos, para que las voces que hace tan poco nos prometieron todas las cosas buenas que abriga la bandera norteamericana ahora decreten contra nosotros esta última sutileza cruel de la opresión?

Provoca suma indignación que un millón de cristianos inteligentes, casi ochenta por ciento de ellos caucásicos, quienes durante mucho tiempo gozaron de los derechos máximos de representación en las Cortes de España; quienes han disfrutado del sufragio universal, la autonomía municipal y un comercio substancialmente libre con su país soberano por años; una comunidad cuya frugalidad, ausencia de deudas, virtud y hazañas revelan su carácter, que liberó a los esclavos por voluntad propia y pagó por ellos sin quejarse; cuya constancia le ganó el nombre, incluso en España, "siempre fiel", deba ahora suplicar los derechos civiles fundamentales que los Padres de la gran República declararon "derechos inalienables" de todos los hombres.

Negar a Puerto Rico un gobierno civil estable inmediato significa (aparte de violentar las abrumadoras e incontestables consideraciones que lo exigen):

Primero. Prolongar para un millón de personas, sin excusa ni fundamento justificable, los efectos siempre desgraciados y represivos del gobierno militar, tan aborrecible para el pueblo de los Estados Unidos como para el de Puerto Rico, pues el gobierno militar es irreconciliable con las ideas norteamericanas, nunca es progresista, y a lo sumo sólo puede esperar mantener el orden y el *statu quo.* Engendra la desconfianza, suprime la ambición, estimula el resentimiento, y destruye todo incentivo y esperanza;

Segundo. Significa impedir la inversión de capital, la ampliación de empresas comerciales y el desarrollo de los recursos de la isla. El capital no se arriesgará donde las condiciones de comercio, el gobierno y las leyes no sean estables, y sin capital para rehabilitar sus intereses arruinados, reconstruir sus industrias y desarrollar sus recursos, Puerto Rico revertirá al estado natural, lo que en los trópicos requiere sólo unos meses de abandono;

Tercero. Significa la ausencia de leyes adecuadas para proteger las personas y la propiedad, reglamentar la sociedad y fomentar la agricultura y el comercio;

Cuarto. Significa que no puede existir autoridad alguna para negociar un préstamo Territorial por medio del cual la Isla, empeñando su crédito y sus recursos, pueda reunir los fondos *absolutamente esenciales* para el mantenimiento y mejoras de las obras públicas, para ventajas educativas y para ayudar a los arruinados agricultores, de cuya prosperidad debe depender la vida misma de la Isla. Fue para facilitar al Congreso el que autorizara y dispusiera este préstamo a favor de la agricultura que el Presidente extendió por seis meses la prórroga a las ejecuciones de hipotecas;

Quinto. Significa haciendas ociosas y asoladas, ingenios y fábricas desiertas, un comercio paralizado, un pueblo errante y hambriento, una Isla completa y cruelmente desolada y arruinada.

Tomada como posesión por el poder guerrero de esta República —la más iluminada, inventiva y poderosa de todas las Naciones— con todas las promesas y compromisos de cada uno de los beneficios de los que se jacta de representar, ¿con qué derecho o pretexto que tolere el escrutinio de Dios o del hombre se hace sufrir a esta pequeña isla calamidades mucho más grandes de las que una vez sufrió (pero que estaba superando rápidamente) bajo la tiranía de España, y se lanza fría e indiferentemente al vasallaje —si no son "ciudadanos", entonces son súbditos o esclavos— se reducen sus antiguos derechos, se le quitan sus mercados, y se le arrojan tan sólc los más pequeños mendrugos de caridad para que se alimente? ¿Puede alguien decir *por qué* aquellos que se acercaron confiada y crédulamente a la bandera y se han dado con lealtad y devoción a ella, deban ahora verse reducidos a la condición de "esclavos blancos" y se les pida que estén agradecidos por la miseria que se les da? ¿Puede alguien decir *por qué* el pueblo de Puerto Rico, un millón de personas de sangre caucásica y de fe cristiana, con el refinamiento, la cultura y la inteligencia de una civilización antigua representada vigorosamente entre ellos e influyendo en las masas; con una historia militar, política, social y financiera de la que cualquier pueblo podría sentirse orgulloso; con una población homogénea de una individualidad, inteligencia e instinto comercial excepcionales; con una cuarta parte de su pueblo capaz de leer y escribir, y la proporción aumenta rápidamente; con más residentes anglohablantes que todo el Archipiélago Hawaiano; tratables, leales y ambiciosos, con un caudal de productos tropicales a las puertas de los Estados Unidos; con su Isla —el puesto de avanzada más lejano de la Nación— segura de ser la primera atacada en caso de guerra y, por tanto, defendida por sus armas, deba lanzarse nuevamente al dominio militar, mientras que los cien mil habitantes de las remotas islas Hawaianas se constituyen en Territorio, se les concede la Constitución, y se les da comercio libre sin titubear?

¿Puede alguien dar una razón justa y suficiente de *por qué* la gente de esta "perla de las Antillas" deba ser tratada peor que la masa heterogénea, desasosegada y primitiva de las Islas Sandwich, a quienes la más sencilla de las proclamas gubernamentales se debe emitir en cinco idiomas; *por qué* a este pueblo tan remoto, mezclado y disperso se le deba dar la ciudadanía plena, un gobierno Territorial pleno y todos los derechos constitucionales, y lo mismo se le niegue a Puerto Rico?

¿Puede alguien decir *por qué* el delegado Kanaka de Hawai deba tener espacio y voz en el hemiciclo del Congreso para sus 100,000 desdichadas almas mientras que a 1,000,000 de puertorriqueños —ochenta por ciento de ellos blancos y cien por ciento cristianos—quienes por años han tenido representación igual a la de cualquier provincia española en la Asamblea y el Senado de las Cortes españolas (uno de los cuerpos legislativos más antiguos y capaces de Europa) sólo se le permite un "Comisionado Residente" en Washington, que puede rondar por los pasillos de la Cámara y el Senado, enviar su tarjeta al moreno amigo Kanaka, y suplicarle que use su influencia con los asociados de ambas Cámaras para aliviar los pesares de su pueblo?

¿Puede alguien decir *por qué* a un pueblo como el de Puerto Rico, diez veces más numeroso que cualquier otro Territorio jamás admitido a la Unión, y tan inteligente y frugal como cualquiera, se le deba negar la forma de gobierno y los derechos civiles y políticos que tan generosamente se le han concedido a los 100,000 mexicanos "grasientos", los 30,000 indios errantes o asentados y a los pocos miles de blancos de Nuevo México?

La "gente sencilla" de los Estados Unidos, su prensa implacable, las naciones observadoras, y el desventurado pueblo de Puerto Rico esperan una respuesta a estas interrogantes y no se conformarán con meras trivialidades o subterfugios.

Al aceptar los privilegios e inmunidades de las instituciones liberales de esta nación, que fueron prometidas como condición de la alianza, los puertorriqueños conocían las responsabilidades y deberes que corresponden a la ciudadanía republicana. Nunca han subestimado, ni lo harán jamás, ni jota de estas obligaciones, ni han rehuido ni rehuirán un deber equitativa y legalmente impuesto. Pero, habiendo gozado de altos rangos representativos bajo el gobierno español, no pueden tolerar sin protesta el que se les haga soportar el oprobio de un precedente ofensivo, que se les trate distinto a otros Territorios, o que se les escoja para servir de citación ignominiosa en el trato a otras islas que ahora adquiere o está por adquirir la Unión. Por pequeña que sea esta comunidad, Puerto Rico representa un principio, y todas las transacciones o seguirán o establecerán un precedente. Es mucho mejor seguir uno bueno, como siempre se ha logrado en la República Norteamericana desde que se redactó la Constitución, que establecer uno malo, que siempre hará más daño a los opresores que a los oprimidos, y que intensificará los problemas para una generación futura.

Amigos, —Hermanos, si es que los puertorriqueños tienen el derecho de llamarles así— apelamos a su sentido de justicia y del honor, rogando que eleven sus voces en contra de la perpetración de un crimen contra sus propios principios establecidos, contra este repudio de la promesa solemne de una Nación a un pueblo leal que se muere de hambre a sus puertas, y que no pide caridad de ustedes, sino justicia. No pedimos paternalismo, sino fraternidad; no pedimos más dádiva que el derecho a trabajar y a prosperar; no pedimos los mendrugos de su banquete, sino el privilegio de laborar en condiciones iguales y de hacernos merecedores de un lugar en la misma mesa, bajo la misma bandera. ¿Es demasiado pedir a un individuo o Nación honorable que cumpla una obligación escrita con la sangre de los patriotas? Una vez admitidos a la casa, ¿es mucho pedir ser tratados, no como parias, ni siquiera como invitados, sino con honor, como parte de la familia?

Los puertorriqueños, por ende, apelan con confianza a un pueblo que, una vez ha contemplado su penosa condición y ha conocido la razón de ella, no puede dejar de levantarse como un solo cuerpo para cumplir las sagradas promesas y conferir los derechos Territoriales a la pequeña isla de hambrientos hermanos bajo la bandera, quienes sólo piden justicia y el derecho a la vida. Emplazan a un pueblo leal, a su prensa y a su púlpito, para que empleen todos los medios, y por petición personal, exhorten a los senadores y congresistas en Washington a que hagan todos los esfuerzos legítimos en su poder para suprimir las injustas medidas propuestas que significan la ruina total de Puerto Rico.

Los prejuicios partidistas se deben echar a un lado; pues los Delegados Puertorriqueños, en su esfuerzo por lograr que el Congreso reconozca sus derechos, nada tienen que ver con el partidarismo. Como norteamericanos, y sólo como norteamericanos, desean juzgar y que se les juzgue a su vez. Como ciudadanos norteamericanos abogan por que otro millón sea recibido como ciudadanos norteamericanos, no como súbditos de una colonia de la corona; como miembros libres y protegidos del estado, no como objeto de una caridad depauperadora, del paternalismo, o de la dependencia imperialista. Exhortan a todos los norteamericanos patriotas a que levanten sus voces en su nombre, para que la integridad de la promesa del soldado se mantenga; para que se conserve el honor de una Nación; para que a un pueblo hambriento se le permita alcanzar su propia salvación; para que, en una palabra, Puerto Rico pueda ser realmente LIBRE.

Conversación familiar (1907)*

José Celso Barbosa

. . . .

Al manifestar nuestras simpatías por una americanización sensata de este pueblo, no se nos ocultó la posibilidad de
que aquella pudiera ser mirada con desconfianza, por consi-
derarla incompatible con el patriotismo puertorriqueño.
Ahora bien, una de las muchas cosas buenas que contiene la
plataforma republicana, es precisamente la de no hacer
incompatibles el patriotismo de un puertorriqueño con el
patriotismo de un americano del Continente; toda vez que la
realización de las aspiraciones sustentadas en la plataforma,
nos llevaría a colocarnos, dentro de la Unión Americana, en
idéntica situación que cualquier otro ciudadano de alguno
de los Territorios o Estados; y es evidente que ni el Neoyor-
quino, ni el Marilandés, ni el Texano, tienen que sacrificar
un ápice de su patriotismo local por el hecho de formar parte
de la nación americana, y de sentir y pensar a la americana en
lo que es común a la nación, sin perjuicio de pensar y de
sentir como neoyorquinos, marilandeses y texanos en lo que
a New York, Maryland y Texas interesa.

Seguramente no pretendemos que el patriotismo americo-
no brote por generación espontánea en el corazón puertorriqueño, ni menos que ya se haya desarrollado vigorosamente;
pero que el patriotismo tal como lo siente un hijo de la gran
República pueda sentirlo y lo sienta tan intensamente un
puertorriqueño, no cabe dudarlo; así lo demuestra el número
incontable de extranjeros de todas procedencias que han
hecho de los Estados Unidos su patria adoptiva, y por ella
dieron su sangre y su vida.

* Fragmentos de artículos publicados en el periódico *El Tiempo*, el 2 y
el 8 de enero de 1907. Reproducido en Pilar Barbosa, ed., *Obras completas de
José C. Barbosa, Vol. IV, Orientando al pueblo*. San Juan: Imprenta Venezuela, 1939, pp. 35-38.

El país donde se nace es naturalmente el de nuestro cariño, pero nuestro afecto no siempre se limita al país donde nacemos, sino que puede despertarse por el país donde hallamos nuestra felicidad, ya porque encontremos en él una manera de vivir más fácil, ya porque disfrutemos de los beneficios de la libertad.

El cariño por el pedazo de tierra donde nacimos es independiente de la reflexión; reside en el corazón humano, donde tiene hondas raíces, y es algo instintivo que podríamos referir a toda la vida animal; pero tal afecto no podría ser considerado como un patriotismo fructífero si se limitara al instinto y no se cultivara, para convertirlo en patriotismo inteligente, en convicción racional, en principio.

En ambas formas de patriotismo existe algo de pasional; la pasión que lleva al animal silvestre a defenderse en el bosque contra todo invasor, y la pasión de índole más elevada que lleva al hombre a proteger sus derechos y a mantener las leyes e instituciones que se ha dado. No habiendo sido Puerto Rico sino una dependencia, no se desarrolló en el corazón del puertorriqueño el sentimiento pasional que le hubiera llevado a defender el suelo contra la invasión americana. El sistema político puesto en planta para sus colonias por la nación descubridora de la isla, hizo que el puertorriqueño nunca considerase que poseía el suelo; y como no lo poseía, no lo defendió.

En lo que a derechos se refiere, en ningún caso pueden éstos ser desconocidos o arrebatados, sin que surja la protesta, adoptando una u otra forma; Puerto Rico se halló siempre en el caso de protestar, y lo hizo durante el régimen anterior; y la protesta perdurará cuando sea necesario para llegar a la integración total de los derechos de que debe disponer un pueblo libre. Pero sería injusto negar que en nuestras relaciones con el pueblo americano hemos adquirido un caudal de derechos de que antes no habíamos disfrutado, que gozamos de mayor libertad práctica que un gran número de naciones americanas independientes, y que ciertos hechos como el de la propagación de la instrucción pública, inducen a creer que los derechos que se nos han concedido se completarán al fin; porque es evidente que cada niño que se instruya es un futuro ciudadano consciente de sus derechos; y, por lo tanto, si se deseara privarnos indefinidamente de éstos, no se favorecería la educación, ni se la generalizaría.

En lo tocante a leyes e instituciones, nadie cambiaría las que se van implantando, informadas en los principios democráticos, por la que aconsejó el sentido centralizador del antiguo régimen; y como de las leyes que se nos van dando al cabo sólo quedará el espíritu, adaptándose día tras día a nuestro modo de ser, llegaremos a considerarlas como coŝa nuestra y amarlas.

Y así, siendo una consecuencia de nuestra asociación con el pueblo americano el poseer el suelo donde nacimos, el poseer todos los derechos de ciudadanos libres y el tener leyes nuestras, ¿qué tiene de sorprendente que este conjunto despierte el patriotismo inteligente y reflexivo de que antes hablábamos, perfectamente compatible en lo que tenga de americano y en lo que tenga de Puertorriqueño? No sólo es patria la tierra donde se nace. Nuestras libertades y derechos son patria también.

Véase, pues, cómo la americanización no es incompatible con el patriotismo puertorriqueño. La base de gobierno ha cambiado radicalmente para nosotros, como han cambiado otras cosas; y otros cambios ocurrirán en el futuro hasta que lleguemos a alcanzar la hegemonía que deberá existir entre el régimen político de nuestra isla y el de la nación que considera y cree que el gobierno por el pueblo, es la mejor clase de gobierno para el pueblo, y el que hace más felices a los pueblos sobre la tierra.

Claro está que ningún gobierno humano es perfecto y que aún los Estados Unidos tendrán que ir introduciendo cambios; porque la ciencia de gobierno no es invariable, sino que se modifica con el tiempo; ni es exclusivamente cultivada con buen sentido por un solo pueblo. Europa tiene algo digno de ser imitado en América, aún siendo, en tésis general, las instituciones americanas superiores a las del viejo mundo.

En otros artículos estudiaremos lo que es el gobierno, quién es el gobierno, lo que el gobierno hace, cómo se eligen los funcionarios en los Estados Unidos, cómo funcionan; veremos lo que es el gobierno propio, y gobierno propio local, notaremos los deberes de los funcionarios de los Estados Unidos, sus tribunales, y todos aquellos puntos que nos den una idea exacta del país a que el destino nos ha ligado.

....

El problema del color*

José Celso Barbosa

El problema del color no puede existir en Puerto Rico, cualquiera que sea el *status* político que, como finalidad, adopte el Congreso de los Estados Unidos para esta isla.

Constitúyase el gobierno bajo la forma de una República independiente, de colonia autónoma, o bien permanezca el *statu quo*, en ningún caso puede existir amenaza alguna para el porvenir de la raza de color.

El problema sólo puede surgir por la voluntad del pueblo puertorriqueño.

El elemento blanco o el de color serán en nuestro país, los únicos responsables, si tal problema viene sobre el tapete.

Ellos, los únicos que podrán darle vida, apoyándolo y sosteniéndolo.

No hay amenaza, no hay peligro del exterior.

El prejuicio que un centenar de americanos pueda *importar*, en nada afecta la voluntad decidida de un millón de puertorriqueños; y por tanto, el elemento de color no tiene

* Fragmento de artículo publicado en el periódico *El Tiempo*, el 2 de agosto de 1909. Reproducido en Pilar Barbosa, ed., *op. cit., Vol. III, Problema de razas*, pp. 35-38.

que preocuparse, poco ni mucho, de la forma en que los americanos desenvuelvan ese problema.

Lo que sí debe interesarle muy mucho al elemento de color en esta isla, es que se conserve siempre el espíritu democrático que, hasta hoy, ha existido en la opinión pública puertorriqueña; que continúe sin interrupción la cordialidad de relaciones que, en todo tiempo, se ha observado, entre los distintos elementos sociales que forman nuestro pueblo; que cualquier partido político que surja en la isla siga la misma conducta que han seguido, hasta el momento actual, todas las agrupaciones políticas que han *existido*, en las cuales nunca se aceptaron distingos de razas o posición social, ni se establecieron clases, y siempre se dió participación a todos por igual; que la influencia que trate de ejercer cualquier americano o nativo con prejuicios, no encuentre ambiente apropiado en la opinión pública para su desarrollo; que cuando algún americano quiera dar vida a un partido político en Puerto Rico y distribuya circulares eliminando al elemento de color, sus propósitos sean recibidos con la misma frialdad e indiferencia con que fué recibida la pretensión de una americano residente en Guayama, a quien el país le hizo el vacío, y tal vez a su imprudencia se deba que el Partido Demócrata no haya podido encontrar apoyo en la opinión puertorriqueña.

Para que no exista *el problema del color*, es necesario que nuestros jóvenes, cuando vayan a los Estados Unidos a continuar sus estudios, procuren *no malearse* con el medio que pueda rodearles, y muy especialmente, los jóvenes de color han de tener gran cuidado para no dejarse arrastrar por los prejuicios de raza que allí han de rodearle, y tener muy presente que la lucha encarnizada, los prejuicios y el odio que entre el elemento blanco y el de color existen en algunos Estados, pueden estar justificados allí, pero aquí, para bien de la patria, jamás deben ser importados.

Los jóvenes puertorriqueños, de una y otra raza, deben aceptar todo lo bueno de aquel país y rechazar todo lo malo; asimilar toda idea alta y noble y despreciar todo lo pequeño; saturarse del verdadero espíritu democrático de la mayoría de aquel gran pueblo; inspirarse en la obra realizada por aquellos grandes hombres que, en momentos supremos para la Patria de Washington, escribieron la inmortal Constitución que ha hecho a aquella nación la República más democrática, libre, próspera y feliz de la tierra, y mirar con pena a los que en el Sud la empequeñecen, destruyendo con leyes *específicas* y de clases, el espíritu de su democrática carta constitutiva.

Nuestra juventud, la que ha de sustituirnos, la que ha de continuar nuestra obra, la que dirigirá de hecho y con completo poder los destinos de nuestra patria, debe no olvidar el ejemplo que ha recibido y no contagiarse, ni permitir que las ideas racistas y los odios y preocupaciones de raza, de una parte de aquel pueblo, influyan en lo más mínimo en los destinos del nuestro.

El bien de la patria así lo requiere; y sería criminal el puertorriqueño blanco o de color, que en cualquier forma y con cualquier pretexto trate de alentar y fomentar en nuestra bendita tierra la más odiosa de todas las discusiones, la más brutal de todas las luchas, la lucha de razas.

Por tanto, si la generación que sube no se malea, y continúa en igual sentido y por el mismo derrotero que la generación pasada y la presente hanle señalado, jamás surgirá en Puerto Rico, en la vida pública, ni en la vida política *el problema del color.*

Si tenemos en cuenta que la superficie de la isla sólo mide un área de tres mil seiscientas sesenta y ocho millas cuadradas, y que en tan corto territorio hay una población de más de un millón de habitantes, fácilmente se comprende que ya la isla ha de resultar pequeña para una población tan densa.

Por tanto, no hay lugar en ella para un elemento inmigrante; por el contrario, estamos en víspera de tener que buscar terruño fuera de la isla, por el *superavit* de nuestra población; y es por lo mismo imposible que en Puerto Rico el total de la población jamás llegue a ser compuesto de un elemento extraño que forme una mayoría que pueda dictar leyes, imponiendo sus opiniones a este pueblo.

Es decir, que, físicamente, resulta un imposible la absorción del elemento nativo, y por ello, la característica de este pueblo sólo puede cambiarse por la voluntad expresa del mismo pueblo.

Si estas premisas son ciertas, es consecuencia lógica que el elemento de color no está amenazado, ni tiene nada que temer bajo la soberanía americana.

El gobernador de Puerto Rico Carlos Romero Barceló encabeza un grupo de manifestantes en las afueras de la embajada de Sudáfrica en Washington. Lo acompañan en la demostración, desde la izquierda, Walter Fauntroy, delegado del Distrito de Columbia, Randall Robinson, un activista de derechos africanos y el ex senador de Dakota del Sur, James Abourezk.

Carta a *La Democracia* (1925)*

José Tous Soto

En la siguiente carta, publicada en el periódico La Democracia *el 25 de agosto de 1925, Tous Soto discute el plan de autonomía política propulsado por la Alianza.*

. . . .

No hay incompatibilidad alguna, antes al contrario perfecta armonía y congruencia, entre el ideal "estado" y la solución transitoria "autonomía". Los estados de la unión son autónomos, y muchas "colonias" son autónomas también. Los municipios son más o menos autónomos y en cuanto a los Territorios, históricamente considerados, son menos autónomos que la mayor parte de las colonias inglesas y que Puerto Rico.

La voz "autonomía" la uso como sinónima de "self-government", gobierno propio, y en tal sentido, si se aplica a la soberanía relativa de los estados federados, será la "autonomía" del estado; si se refiere a los limitadísimos y delegados poderes de los Territorios Históricos, será autonomía territorial, y si se contrae al amplísimo campo de actividad gubernamental de las colonias inglesas de tipo más avanzado, será "autonomía colonial". Colonia es Jamaica, colonia la India, colonia Canadá, colonias Australia y New Zealand, pero qué vasta diferencia entre unas y otras! De la "Colonia de la Corona" al dominio del Canadá o al "Commonwealth", de Australia, existe una enorme diferencia. Todas son colonias porque *teóricamente* dependen todas de la corona y del Parlamento de la Gran Bretaña pero Canadá, New Zealand, Australia, a todos los fines prácticos, son estados casi soberanos, elementos componentes de una verdadera confederación

---

* Fragmento de carta publicada en el periódico *La Democracia*, el 25 de agosto de 1925. En la carta Tous Soto defiende la resolución conjunta de unionistas y republicanos proponiendo la autonomía del territorio.

Británica ligados a la Metrópoli por los lazos de la común ciudadanía y de la soberanía común. Los Territorios americanos son posesiones, dependencias, propiedad de los Estados Unidos, sin soberanía, con poderes limitados y delegados del Congreso, con autonomía limitada, sin participación alguna en el gobierno nacional. ¿Qué diferencia substancial existe entre un Territorio y una colonia? Si alguna existe, es en favor de la colonia.

¿Que el territorio es la crisálida del estado? Bien, la colonia, en derecho constituyente, es la crisálida de la nacionalidad. En buenos principios de derecho político se presume que las colonias, por ley evolutiva, han de transformarse, con el tiempo, en nacionalidades, y la Historia confirma los principios de la ciencia política, enseñándonos que la emancipación violenta acontece cuando la metrópoli obstaculiza la evolución de la colonia hacia un tipo de superior cultura y libertad. Sólo cuando la evolución autónoma de la colonia es respetada por la metrópoli, se produce el fenómeno de las grandes comunidades coloniales inglesas que, verdaderas nacionalidades, por su propia determinación, permanecen ligadas a la madre Patria por vínculos de afectos e intereses, independientemente de toda coacción.

Pues bien; ¿qué más da que Puerto Rico se denomine posesión, dependencia, colonia o Territorio? El hecho es que, con uno u otro nombre, carece de Soberanía, y la realidad es que, con uno u otro nombre, hemos de evolucionar hacia una forma superior de gobierno, hacia un *status* que nos garantice el ejercicio de los poderes y el cumplimiento de los deberes de los estados soberanos, sin otras limitaciones que las que nos imponga el medio geográfico, cultural y económico en que nos agitamos y la convivencia con los estados federados. Nuestra evolución ha de responder, como la de todos los organismos físicos o sociales, a las cualidades heredadas o adquiridas, y al medio ambiente. La lucha por la existencia nos hará adaptarnos al medio político-social, y este fenómeno de adaptación determinará todo nuestro desenvolvimiento ulterior. La forma territorial clásica no es traje apropiado para nosotros. La isla criolla, heredera de una tradición cultural de más de cuatro siglos, parlando la lengua robusta y eufónica de Garcilaso, pletórica de población y escasa de territorio, de esquilmadas tierras, viviendo en el trópico, vida agrícola y pastoral, sin minería, sin industrias, sin la práctica secular del self-government, no puede vestir el traje de las trece colonias, ni de los territorios del far west. No es para nosotros ni el sombrero cónico de los cuáqueros, ni la pintoresca vestimenta del cowboy.

Necesitamos otro hábito espiritual, la amplia túnica griega, el peplo flotante, la toga romana de anchos pliegues, vestiduras propicias a la euritmia de las actitudes y a las exigencias climatológicas, culturales, estéticas y éticas que gravitan sobre nosotros.

Las formas territoriales no tienen un patrón único y consagrado. Son tan varias como las formas coloniales. Territorios ha habido de organización tan elemental (verdaderos zoofitos políticos) que solo poseían el órgano ejecutivo y el judicial, careciendo de órgano legislativo, cuyas funciones desempeñaban el ejecutivo y los jueces. Faces territoriales han existido en que el Gobernador asumía todos los poderes (bacterias políticas). Otra forma ha consistido en la organización de la rama legislativa alta, emanante de la autoridad del Presidente, y la baja del voto del Pueblo (articulados). Y, finalmente, la forma dotada de un ejecutivo y judicial, sujetos en su nombramiento, a la voluntad del Presidente, y un legislativo, en sus dos ramas, creadas por la voluntad del Pueblo del Territorio, pero sujeto al control congresional (vertebrados de orden inferior).

¿Puede Puerto Rico acomodarse a estos moldes restrictivos, buenos para los despoblados latifundios del oeste; o las comunidades incipientes del Sur? De ningún modo. Nuevas formas han de surgir que se adapten a nuestro modo de ser, historia, tradiciones, cultura, situación geográfica, necesidades económicas, etc. Creemos que la fórmula político-económica del momento, producto del cruzamiento de la fórmula colonial inglesa y la Territorial americana, es la que exponemos en nuestro memorial, y a esa forma podríamos llamarle Territorio autónomo o "Self governing Territory", o simplemente "Autonomía". Pero el nombre no hace a la cosa; llamémosla enhorabuena, si Ud. se empeña en ello, "autonomía colonial". Llámesele como se quiera, tal fórmula consagra el derecho de Puerto Rico a vivir su propia vida, sin extrañas ingerencias en nuestro *home*, permitiéndonos desenvolver nuestros recursos, atender nuestros problemas y prepararnos para las responsabilidades del porvenir. ¿El porvenir? ¿Porqué malograr las oportunidades del presente, discutiendo el futuro? Bien que no sacrifiquemos el devenir al momento actual, pero mal que, tratando de resolver ahora, problemas que no pueden tener solución *ahora*, perdamos en Bizantina disputa el tiempo y el esfuerzo que necesitamos para preparar el advenimiento de ese mismo porvenir, en su tiempo y sazón, sin desmayos e impaciencias prematuras, y por ende estériles.

¿Abdicación del ideal estado? No. La estadidad no se dá, se conquista. El Congreso *no puede* concedernos la condición de estado, el *estado* de comunidad americana con soberanía limitada por la soberanía de la federación de estados. Solo puede reconocer que existe en nosotros tal condición, *tal estado*, que ha de ser creación nuestra.

. . . .

Discurso del Cuatro de Julio (1933)*

Rafael Martínez Nadal

Celebra hoy nuestra Nación el 157 aniversario de su independencia y advenimiento al concierto internacional de los pueblos civilizados del universo, en los momentos sombríos y agoreros en que la depresión mundial y los conflictos de intereses llenan de congoja el alma de la humanidad angustiada *por la tardanza en llegar las soluciones salvadoras* y la incertidumbre de encontrar una puerta de escape en este laberinto económico que nos permita volver a la normalidad y vislumbrar, de nuevo, los días serenos, felices y prósperos de un reciente pasado.

Asistimos al espectáculo dramático de acontecimientos mundiales revolucionarios, en opuestas direcciones políticas, hijos de la histeria y el paroxismo, a que se han entregado muchas naciones del mundo, en su desesperación por el estado miserable a que llegaron sus finanzas, a consecuencia de los efectos de la Gran Guerra.

Algunos pueblos como Rusia se han entregado al bolcheviquismo y la dictadura del proletariado, bajo la mano férrea e implacable de Stalin; otros como en Italia y Alemania han puesto sus destinos en las manos aceradas y rígidas de Mussolini y Hitler. Dictaduras de distinto origen y diferente orientación, pero iguales en sus resultados y parecidas en sus procedimientos, que agarrotan la libertad individual y dan muerte a la libertad colectiva. Dictaduras que viven a la sombra de las bayonetas del Ejército rojo, de los cascos de acero y de la milicia fascista.

La tragedia en que viven estos pueblos debe servir de ejemplo y espejo a los pueblos que como nuestra Nación

* Fragmento del discurso pronunciado durante los actos de celebración de la independencia de Estados Unidos, y reproducido en el periódico *El Mundo*, 5 de julio de 1933.

quieren conservar intactas las puras tradiciones de la democracia y el respeto de la soberanía que emanan del pueblo.

Es deber de todo ciudadano de los Estados Unidos vigilar con ardiente celo por la conservación del magnífico legado cívico que nos dejaron aquellos nobles, bravos y heroicos padres de la patria americana que, tras largos años de sacrificios y desvelos, mojando sus plumas en la sangre generosa de los hijos de la revolución, caídos en los campos de batalla, escribieron la declaración de independencia y la Constitución.

Que vivan en nosotros siempre palpitantes los nombres de Washington y Jefferson, en recuerdo de sus vidas heroicas y abnegadas, el ejemplo de sus sacrificios, su devoción a la causa del pueblo y de la patria, y la ponderación y pulcritud moral de sus pensamientos y acciones.

Es forzoso defender la noble herencia espiritual y política que nos legaron aquellos varones ilustres, y ahora, en estos días dolorosos y trágicos, en que la desesperación popular es campo fértil a la siembra de ideas anarquizantes y disociadoras, es más necesario que nunca disponernos a todas las privaciones económicas y desprendimientos, y agruparnos alrededor de los líderes nacionales e insulares con autoridad para ayudarles cordial y noblemente a resolver las dificultades económicas, a ser humanos y justos con las masas populares, y a poner un sedante al dolor del pueblo que calme su mente alterada por su desgraciada situación, y lo convierta a su vez en el principal mantenedor de sus líderes y sus principios democráticos.

Puerto Rico cumplirá su deber en esta hora, como lo hizo siempre en las graves crisis por que atravesó en tiempos idos, y puesto su pensamiento en Dios, tiene fe en sus futuros destinos, y esperanza firme en la sabiduría y justicia del presidente Roosevelt, por su carácter, por su sabiduría, por su serenidad de juicio, por su dinamismo y su sencillez, digno sucesor de los padres de la Nación, y tiene fe también en los nobles propósitos del gobernador Gore, y espera de él sea el líder que nos ayude a volver a la prosperidad, con amor y justicia para todos y con respeto a los verdaderos principios de la democracia, cuyo nacimiento conmemoramos hoy.

El Pueblo de Puerto Rico, por la voz de sus legítimos representantes populares prestará, sin regateos, su cooperación a la gran obra de nuestro resurgimiento económico, y de conservación de la democracia, porque queremos gozar siempre de los beneficios de la libertad, de esta libertad que permite, sin cortapisas, la discusión acalorada y la propaganda pública de todas las ideas políticas y económico sociales, por desafectas que sean aquéllas a la Nación y amenazantes las segundas a los fundamentos básicos del Gobierno.

Porque Puerto Rico aspira a gozar plenamente de la dignidad de la ciudadanía de los Estados Unidos, en el regazo de los estados del Norte, o soberanía propia en el concierto internacional del mundo.

Así está dividida la opinión pública de esta isla, en cuanto al problema de nuestro "status" final, con enorme mayoría a favor de la Estadidad.

Lo que Puerto Rico rechaza con altivez es la perpetuación de un Estado de coloniaje que nos degrada y resta prestigio en el continente americano a las tradiciones democráticas del pueblo americano.

Pero para las conquistas del futuro debemos ser sinceros y sobre todo fieles a nuestros principios y aspiraciones ideales.

Los que militen en uno u otro campo de ideas que lo hagan con lealtad, sin hipocresías ni falacias, que no es honroso ni edificante el ejemplo de muchos que alardean de mentidos amores a la Nación, con fines especulativos de conquista de influencia y posiciones, mientras son en realidad desafectos a la Nación y sus instituciones en nuestra isla.

La gran virtud de los hombres es la lealtad, sin reservas mentales, cuando juran ser leales; y el espíritu de sacrificio y abnegación en la defensa de sus ideas, de su patria y de su pueblo.

Todos debemos sacrificarnos hoy por la felicidad de nuestro pueblo, de nuestra Nación, que pronto saldrá de la pesadilla económica en que vivimos, gracias a la pericia y carácter del gran líder nacional, el presidente Franklin D. Roosevelt, que tiene en sus manos enérgicas y prudentes a la vez, las riendas de nuestros futuros destinos.

Los legisladores prestaremos nuestro concurso al gobernador, los pobres y los obreros le prestarán su apoyo moral y sus simpatías, los intelectuales y economistas le ayudarán con sus opiniones, y los ricos no deberán obstruir sus propósitos generosos, que si Lincoln arrostró el martirio y dió su sangre por la libertad de los parias y esclavos negros, los privilegiados de la fortuna bien pueden derramar un poco de dinero, que no vale tanto como la sangre y la vida, por buscar la felicidad de los esclavos del trabajo, del dolor y la miseria de Puerto Rico.

Señor gobernador Gore: representante aquí de la Nación, el pueblo portorriqueño pone todo su corazón y todo su amor en este aniversario del natalicio de la libertad de vuestra Patria, que es hoy nuestra Nación y nuestra Patria también.

Lo hace sin reservas mentales de ningún género, con el alma llena de alegría, y de esperanza en que el espíritu de justicia del gran pueblo americano, además de la libertad individual de que gozamos, nos dará la plena libertad colectiva que demandamos en la estadidad.

. . . .

La Federación Libre y la estadidad*

Prudencio Rivera Martínez

El Movimiento Obrero Organizado de Puerto Rico, tal como está representado por la Federación Libre de los Trabajadores de Puerto Rico, ha defendido siempre la asociación permanente del Pueblo de Puerto Rico con el Pueblo de los Estados Unidos. Ese principio lo ha defendido la Institución Obrera desde su fundación hace cerca de medio siglo.

Como la doctrina del movimiento obrero universalmente no establece diferencias de raza, política o religiosa el Movimiento Obrero Organizado de Puerto Rico, al participar en las grandes convenciones del Movimiento Obrero Nacional, tuvo siempre iguales derechos, la misma representación y voz y voto como si se hubiera tratado de cualquier Estado de la Unión Americana.

La primera Institución de Estados Unidos que declaró ESTADO a Puerto Rico fué la Federación Americana del Trabajo al extender Certificado de Afiliación a la Federación Libre de los Trabajadores de Puerto Rico como Rama de Estado.

Debido a esa afiliación nos consideramos nosotros, y fuimos siempre considerados por los Trabajadores de Estados Unidos, como compañeros en una misma organización y como componentes de un mismo pueblo, el Pueblo de los Estados Unidos de América.

Estos lazos de unión y de solidaridad política se fortalecieron más aun cuando por nuestra propia voluntad nos convertimos colectivamente en ciudadanos Americanos.

La influencia del Movimiento Obrero Organizado de América en Puerto Rico, en el mantenimiento de los dere-

* Revista *El Estado*, I:1 (septiembre-octubre, 1945).

chos de los trabajadores y de las garantías necesarias para el desarrollo de instituciones libres como nuestra organización del trabajo; en la educación en general de nuestro pueblo, y particularmente en las prácticas ordenadas del obrerismo; en la adopción de la Legislación Social que figura en nuestros estatutos, y en las relaciones del mundo obrero internacional, a través de nuestra Organización Nacional, ha sido decisiva.

El Pueblo obrero de Puerto Rico, consciente de su misión histórica y de sus responsabilidades para con todo el pueblo, y para con todas las clases en general; y deseoso de disfrutar en todos los tiempos de las garantías que necesita para su normal desenvolvimiento, y de la verdadera libertad que ha hecho posible su existencia en el mundo de las democracias defiende vigorosamente la vinculación permanente de nuestro Pueblo al Pueblo de los Estados Unidos.

Defender la democracia y nuestra ciudadanía, es nuestra obligación indeclinable por nosotros y por nuestros hijos.

La entrada de Puerto Rico como un ESTADO en la asociación de Naciones Libres que forman la Nación, Estados Unidos de América, es la garantía a nuestras libertades que necesitamos.

¡Defendamos nuestra ciudadanía y nuestro ideal!

Estadidad*

Juan B. Huyke

Los que somos partidarios de la estadidad tenemos que saber que el ideal no está "a la vuelta de la esquina" según la frase feliz del Dr. Barbosa, "estamos preparándonos para prepararnos".

Habremos, pues, de mostrar mucha fé, mucha paciencia en nuestra lucha. La fé para encender nuestras almas en el constante esfuerzo y la paciencia para esperar el triunfo que está muy lejos todavía. Hay una gran distancia a recorrer.

Para que la lucha no cree inquietudes y desasosiegos es que la nación nos ha otorgado una carta orgánica liberal dentro de la cual podemos vivir felizmente y hacer nuestra labor tranquilamente. El país se gobierna. Tiene cámaras legislativas para hacer sus leyes. Nuestra carta orgánica garantiza todos los derechos. Nuestro gobierno emana del pueblo mediante la aprobación por el Senado de todo nombramiento. Todavía puede ser ampliado el instrumento constitucional del país y ya veremos como esto seguirá haciéndose hasta llegar a ser un estado sin ser estado. Desde este punto al final no hay nada más que un paso. Es un proceso lento el de la estadidad y los que pensamos en ella para resolver el problema de Puerto Rico no debemos precipitar los acontecimientos. Mas que insistir en inoportunas peticiones deberemos aguardar a que se nos sugiera el momento oportuno y conveniente.

Para poder intervenir en la vida nacional de un pueblo no basta el deseo. Hay que estar identificados con la manera de ser de ese pueblo. No pretendamos la admisión como estado antes de que el país demuestre, fuera de toda duda, su unidad con Norte América. Hemos hecho en este sentido avances

* Revista *El Estado*, I:1 (septiembre-octubre, 1945).

extraordinarios, sobre todo en los últimos tiempos, pero tenemos que reconocer honradamente que hay una parte del país reacia al sentimiento. El tiempo que es todopoderoso, la vida en común que se hace cada vez más intensa, los intereses comerciales y agrícolas son factores que ayudarán en la evolución favorables a nuestra causa. Confesemos, pues, que la actitud razonable es la de una paciente espera, mientras nosotros mismos nos convenzamos que con nuestro ingreso en la nación no vamos a crearle a ella una situación desagradable.

La ciudadanía americana protege al puertorriqueño en el exterior. De esta gran concesión se benefician hasta los que desean un gobierno de república para Puerto Rico. Estos irán decreciendo en número. Todos habrán de convencerse de que aún la situación provisional en que vivimos es superior al estado o a la república si no nos preparamos debidamente para una u otra fórmula.

El independentista tiene prisa. Es natural que la tenga. El desea constituir a su patria en república cuanto antes para evitar que el proceso lento de la americanización surta sus efectos en el pueblo. Me explico que ellos soliciten la república. Pero nosotros no tenemos motivos para desear el ingreso en la nación como estado antes de tiempo, porque en la nación estamos ya. Nuestro gobierno provisional susceptible de reformas todavía, nos permite vivir tranquilamente hasta que se logre el grado de adaptación que nos hará participar en la totalidad de la vida americana.

Muñoz Rivera decía, cuando se aprobó la carta orgánica que podríamos dentro de lo provisional adquirir tal grado de libertad y sentirnos tan bien que no deseáramos cambio alguno que pudiera afectar nuestra vida. Y bueno es recordar sus palabras. El escribió para un siglo por lo menos y sabía ver claro en lo porvenir.

No haya prisa pues. Vayamos con calma al futuro, hasta que el destino se cumpla.

Puerto Rico en la Federación Norteamericana*

Reece Bothwell

Los Estados Unidos forman una unión federal constituida originalmente por trece estados, con una Constitución Nacional redactada en Filadelfia y puesta en vigor en el 1789. Antes de existir esa Constitución, vivían los Estados Unidos bajo los Artículos de Confederación. Eran los estados entonces, de hecho y de derecho, entidades soberanas, naciones libres e independientes que estaban unidas por un pacto similar al de la Liga de Naciones. Bajo los Artículos de Confederación, cada uno de esos estados conservaba su soberanía por disposición expresa del segundo de los Artículos, el cual sostenía:

> Cada estado retiene su soberanía, su libertad e independencia, y todo poder, jurisdicción y derecho, que por esta confederación no hubiere sido delegado específicamente a los Estados Unidos reunidos en Congreso.

Como consecuencia de ese orden político existente, se desató una tremenda competencia entre los estados, amenazando con destruir la economía de los mismos. Se levantaron barreras arancelarias entre unos y otros, limitándose, en consecuencia, el comercio entre los estados. Esa competencia despiadada *casi estranguló completamente* la vida económica de los estados originales. Por no existir una verdadera unión entre los miembros de la confederación, la situación empeoraba de día en día. Pero un grupo de hombres de gran visión política, vieron el peligro que se cernía sobre la nación, cuya desaparición como entidad política indepen-

---

* Revista *El Estado*, I:6 (julio-agosto, 1946).

diente era de temer, y decidieron luchar por lograr una más perfecta unión. Era natural pues, que en la nueva unión, creada por los esfuerzos de estos hombres, se le diera al gobierno central los poderes necesarios para salvar al pueblo de las caóticas condiciones en que se encontraba. Fué, en otras palabras, *las necesidades mutuas* las que determinaron los rasgos característicos de la nueva Constitución. Fué *un pacto* que unía en estrecha unión política, *fuerte y vigorosa*, a los estados con el fin de garantizarles una vida económica próspera y un mayor bienestar social.

La fórmula federativa

Recurrieron los padres de la Constitución *a la única fórmula política aconsejable*, esto es, *a la federación*. En una federación podían unirse todos los estados, aun cuando tuviesen distintos intereses económicos, distintas posiciones geográficas, y distintas necesidades comerciales. No podía ser otra la fórmula política empleada para lograr estos fines. *Esta forma federativa* de gobierno, es sin duda alguna, la que mayor flexibilidad ofrece para unir políticamente a pueblos que ofrecen una gran diversidad de intereses como consecuencia de sus peculiares características. Esta es la forma ideal para la unión política de pueblos heterogéneos, social, económica y culturalmente. Tanto es así *que la esperanza de los estadistas modernos de más altos vuelos* es el de llegar a constituir *a todas las naciones del mundo* en una enorme federación, lo que algunos han dado en llamar *Super Estado*.

Los pueblos heterogéneos como Suiza, con cuatro idiomas, Canadá, con dos idiomas, y la Rusia Soviética con cuarenta y nueve nacionalidades, se han visto *forzados a utilizar la fórmula federal de gobierno*. Porque esta fórmula, de la cual es quizás el mejor modelo Estados Unidos, ofrece las ventajas de *un gobierno central fuerte* para atender los asuntos de interés general mientras que al mismo tiempo permite a las subdivisiones políticas —esto es, a los cantones, como se llaman en Suiza, a las provincias, como se conocen en el Canadá, o a las repúblicas y regiones autónomas como se emplean en Rusia, o a los estados como se utilizan en Estados Unidos— *permite repito, completa independencia en los asuntos internos de interés local.* Es por ello que las federaciones modernas están plenamente justificadas. Y es por ello que somos del criterio de que Puerto Rico puede encajar perfectamente en la Federación de los Estados Unidos de América y sin sacrificar su idiosincrasia como pueblo.

Puerto Rico como un estado de la Unión

Puerto Rico como estado de la Unión podría tener su gobierno insular establecido en la forma que creyera conveniente. Podría utilizar el modelo presidencial de gobierno, o el ministerial. Podría tener un parlamento unicameral, o bicameral, cuyos miembros podrían ser electos por distritos territoriales, o sobre una base funcional; podría tener un sistema bipartista o multipartista. Podría tener un sistema judicial en la forma que dictasen nuestros propios intereses. En fin, *nuestro gobierno sería estructurado a la medida de nuestros deseos y de acuerdo con nuestras particulares conveniencias.*

Lo único que exije la Constitución de Estados Unidos, en cuanto al gobierno de un estado se refiere, es que éste sea de forma republicana, esto es, un gobierno democrático.

Como estado, nuestro comercio exterior, estaría reglamentado por el Congeso Nacional, donde tendríamos entonces unos siete representantes de acuerdo con nuestra actual población, y dos senadores, como tienen todos y cada uno de los estados. Con esta representación en el Congreso Nacional —y con el poder de regateo que la misma tendría— podríamos defender nuestros intereses adecuadamente. Con esta representación participaríamos en la legislación que aprobare dicho Congreso y también en la redacción de los tratados comerciales y políticos. Con esta representación tendríamos una voz, respaldada por nuestros votos, en la preparación de las leyes arancelarias, logrando en esta forma una manera más efectiva de proteger nuestros productos en el mercado de Estados Unidos. Como estado tendríamos derecho a participar en las elecciones nacionales con derecho a determinar, mediante nuestros votos, la persona que ha de presidir los destinos políticos de nuestro país. Tendríamos en el colegio electoral, cuya misión es la de elegir al Presidente y al Vice-Presidente de la Nación, unos nueve o diez votos electorales. Puerto Rico como estado podría evitar los discrímenes que hoy sufre por su condición de inferioridad política en que se encuentra en relación a los estados de la Unión. No estaríamos entonces sujetos a las decisiones de un Congreso en el cual no tenemos derecho a votar, ni aún en el seno del Comité de Asuntos Insulares de la Cámara.

A través del gobierno de los Estados Unidos, que sería nuestro legítimo gobierno, tendríamos participación importante en los Congresos internacionales, como parte integrante de ese poderoso país. Nuevas y valiosas oportunidades se abrirían en el campo del servicio consular y diplomático de Estados Unidos para los jóvenes puertorriqueños. Finalmente obtendríamos la extensión a Puerto Rico de todas las leyes federales que para beneficio de los Estados han sido aprobadas por el Congreso —y que sólo se han extendido parcialmente a Puerto Rico— y todas las que fueran aprobadas en el futuro.

Como estado además conservaríamos la ciudadanía de los Estados Unidos, quizás la más respetada en todo el mundo. Tendríamos, en fin, como pueblo, así como individuos, la protección garantizada de la primera potencia mundial, pues entonces formaríamos parte integrante de esa gran nación.

Líderes del Partido Estadista Republicano en la década del 60. En primera fila, al centro, aparece M.A. García Méndez.

El momento actual*

Miguel Angel García Méndez

Tres son las inmediatas motivaciones que enrarecen el ambiente y convierten en crucial el momento actual de nuestra historia...

1ª Movimientos con rivetes *(sic)* sindicalistas en las Antillas, disfrazados de alegados programas de acción uniforme para la mecanización de nuestra industria principal, encubriendo acciones torticeras dirigidas a ganar ventajas en favor de Cuba y perjuicio de Puerto Rico.

2ª Situación tensa de incertidumbre general en cuanto a cuál habrá de ser la actuación final del Congreso y cuál del electorado puertorriqueño en relación con la oferta y decisión, respectivamente, alrededor de fórmulas diversas sobre nuestro status político.

3ª Pugilato entre el gobierno paternalista y la iniciativa privada para afrontar y resolver los problemas de la postguerra.

En cuanto a la causa o motivo 1º, se impone una campaña abierta, franca y agresiva, para desenmascarar a los que, so pretexto de confraternidad en la raza, sólo interesan ganar ventajas en el preciado mercado continental de Estados Unidos enriqueciéndose a costa de la ruina y la miseria de Puerto Rico.

. . . .

En esta hora de paz a que ahora nos enfrentamos, pensemos detenidamente ante la bifurcación del camino que tenemos por delante. Por una senda podemos ir a la repartición de lo que ahora hay, por la otra senda podemos ir a la

* Fragmento de artículo publicado en la revista *El Estado*, I:3 (enero-febrero, 1946).

creación de más de lo que haya para que dentro de la multi-
plicación de las oportunidades se multipliquen también
como en el pasaje bíblico los panes y los peces para los
necesitados. Este dilema que ahora tenemos por delante será
sin duda, en la era de paz que se inicia, de tan trascendental
importancia como fué el dilema entre el fascismo y la democracia en la era de sangre y tragedia que acaba de terminar. Y
en mi opinión, la democracia que salió victoriosa de esa
prueba de fuego es consubstancial con la libertad de la iniciativa privada. ¡Quiera el cielo que jamás tenga esta última,
para poder subsistir sobre el suelo americano, que ir, frente a
extrañas ideologías, a la misma prueba espantosa de que
ahora emerge la democracia iluminada por los resplandores
del holocausto inmenso!

Pasamos ahora a la tercera motivación que convierte en
crucial el momento actual que atravesamos, la más importante en nuestro ambiente insular: —La situación de incertidumbre en relación con nuestro status político, débese en
mayor grado a las opiniones conflictivas de grupos y a la
indecisión de los temerosos de estar equivocados en cuanto a
cuál sería el verdadero resultado de un plebiscito autorizado
por el Congreso o hasta de uno de antemano autorizado por
la propia Legislatura de Pto. Rico que prefieren abstenerse
de correr el posible peligro inherente a la defensa de una en
particular de las alternativas ofrecidas por el Presidente para
ser estudiadas y sometidas en total o en parte por el Congreso
al pueblo puertorriqueño.

Cuatro son las corrientes de opinión que impiden la
unión de voluntades de la familia puertorriqueña y entorpe-
cen el logro de objetivos inmediatos en el gradual desenvolvimiento político de nuestro país.

De una parte, los Estadistas, que aspiran a la más absoluta igualdad en la dignidad de la ciudadanía y creen es ésta
la mejor oportunidad para conseguir que cristalicen sus
anhelos.

De otra, los Independentistas, que, aunque defendiendo
un ideal también levantado y noble, constituyen una minoría ínfima, que se hace oír, soliviantada como está por las

actuaciones del Senador Tydings; pero que difícilmente podrá hacer triunfar sus bellos postulados ante la conciencia de un pueblo que sabe del hambre y la ruina que traería consigo esa aspiración materializada con nuestra separación definitiva y completa del pueblo de los Estados Unidos.

De otra parte, los que defienden la Autonomía plena, a manera de paso transitorio para ganar temporalmente inter-independencia en tanto se clarifica más el horizonte político y se ilustra mejor la opinión americana para proceder a la consideración de las fórmulas definitivas.

Y por último, los que favorecen el Dominio, bajo cuya denominación entienden que pueden conseguirse las mismas ventajas que con la Autonomía o Gobierno propio, pero más claramente estructuradas dentro de una fórmula cuasi-final en línea con las comunidades tipo Canadá del sistema parlamentario inglés.

No hay duda alguna de que entre la Estadidad y la Independencia sometidas como únicas alternativas triunfaría arrolladoramente la primera. Y sometidas las cuatro se dividiría del tal modo el electorado que ninguna tendría la mayoría absoluta que requiere el proyecto de ley ante la consideración del Congreso.

No sería éste, empero, el resultado si solamente sometiese el Congreso la alternativa entre Independencia absoluta y "status quo".

Ante la probabilidad de que el Congreso no esté aún en disposición, por falta de información sobre nuestras posibilidades para llenar a cabalidad las responsabilidades que conllevaría nuestra admisión al seno de la federación como un Estado más, de incluír ésa como una de las alternativas, y ante el peligro de una errónea selección si el liderato no se dispone a deslindar los campos echando a un lado la ya mencionada "Caja de Pandora", nos parece llegado el momento de unir a todos los puertorriqueños en una sola dirección aceptando como transitoria una de las dos fórmulas tercera o cuarta, que no son incompatibles con las aspiraciones que informan la primera y segunda y las cuales podrían seguirse alimentando como fórmulas definitivas de solución a nuestro "status", o por lo menos unirnos todos para acabar con la incertidumbre prevaleciente y colocar al Congreso en posición de hacer buenas las intenciones del Ejecutivo, solicitando que se someta a previo plebiscito del pueblo puertorriqueño, ya sea por el Congreso o ya por la propia Legislatura del país, la siguiente alternativa única:

¿Desea Puerto Rico separarse de Estados Unidos rompiendo definitivamente los nexos que unen a ambos pueblos?, —o— ¿Desea Puerto Rico mantenerse con seguridad y dignidad en unión permanente con el pueblo de los Estados Unidos? Resuelta esta alternativa por el electorado puertorriqueño, fácil resultaría luego instrumentar la fórmula que más cuadrara a la seguridad y libertad del pueblo de Puerto Rico

La estadidad y la independencia*

Miguel Angel García Méndez

Somos ciudadanos norteamericanos desde 1917 y estamos orgullosos de ello. Creemos en verdad que en los tiempos modernos podemos alardear de nuestra ciudadanía americana con el mismo orgullo que en otra época sentía un ciudadano romano. Amamos y apreciamos nuestra ciudadanía americana; no queremos cambiarla por ninguna otra ciudadanía en el mundo, no importa cuál, y estamos preparados para luchar por ella y para luchar por preservarla para nuestros descendientes.

* Fragmento de discurso pronunciado ante congresistas norteamericanos de visita en la isla. Publicado por la revista *El Estado*, VII:37 (marzo-abril de 1954). Traducido por Yvette Torres Rivera.

Hoy celebramos, por primera vez en Puerto Rico, un acto de reafirmación de nuestra ciudadanía norteamericana. Es justo y necesario que lo hagamos en vista de las nuevas condiciones que se están creando aquí. Estamos comenzando una campaña y nos proponemos instituir celebraciones anuales, como ésta, cada vez con mayor vigor, para defender nuestra ciudadanía americana de todos los ataques y distorsiones, y para mantener la bandera norteamericana ondeando en Puerto Rico.

Mi partido puede hablar claro sobre este asunto porque ha estado hablando claro durante más de cincuenta años. Durante todo ese tiempo nuestro partido ha defendido sólo un ideal, sólo una plataforma, vigorosamente, sin ningún cambio o desviación: la unión permanente de Puerto Rico con los Estados Unidos; es decir, el logro de la estadidad.

La hemos querido desde el 1900 y la querremos en 1960, si para ese momento no se ha alcanzado aún la estadidad.

A pesar de que nuestro partido no ha estado siempre en el poder, Puerto Rico nunca, nunca, ha votado en contra de la estadidad. Ultimamente algunos líderes políticos han tratado de engañar al pueblo con plataformas dudosas, que podrían conducir a Puerto Rico a cualquier parte. Es por estas razones que se ha vuelto necesario explicar otra vez a los puertorriqueños el contenido de su ciudadanía. Algunas personas pretenden conservar el nombre, y jugar con él, pero cambiando su contenido real, distorsionando y falseando su esencia verdadera.

Congresistas que hoy nos honran: Pueden estar seguros de que en Puerto Rico no le tememos a la independencia. Estamos completamente seguros de que nunca tendrá el respaldo del pueblo. Pero debemos estar atentos a cualquier adulteración de nuestra ciudadanía. Los vientos frenéticos del nacionalismo nunca subyugarán la bandera norteamericana en Puerto Rico; pero debemos proteger su asta del trabajo solapado de los comejenes políticos.

. . . .

En su mensaje el Gobernador censuró la estadidad como un peligro para la vida misma de Puerto Rico. Ahora escucharán a todos los líderes Populares repetir la misma rutina. Ahora se despertarán todas las mañanas como papagayos repitiendo que es peligrosa. Cuando el gobierno engaña al pueblo con tonterías como éstas, cuando sus hombres adquieren la característica de obedecer el ritmo de un metrónomo, y pueden acostarse a dormir creyendo una cosa y levantarse, todos a la vez, diciendo lo contrario, cuando un partido que controla todos los actos de su gente es el servidor obediente de un hombre que tiene una varita mágica en la mano, es hora de dejar de buscar la libertad y la dignidad en las leyes y documentos oficiales; es hora de comenzar a buscarlas entre las ruinas de nuestras tradiciones democráticas; es hora de invocar las fuerzas del alma para reafirmar las virtudes de nuestra ciudadanía.

Sencillamente nos rehusamos a seguir ese camino. Negamos nuestra cooperación o nuestra aprobación a cualquier demanda de que el gobierno federal cese sus funciones en Puerto Rico, o a ese otro sueño acariciado por el gobernador Muñoz Marín de que se le dé el poder de vetar cualquier ley del Congreso en lo que respecta a sus efectos en Puerto Rico. Creemos que no hay peligro en la estadidad. El peligro yace en sacar al gobierno americano de Puerto Rico.

Pero ahora son demasiado poderosos para importarle mucho las protestas de las personas que quieren la verdadera libertad americana en Puerto Rico. Tienen suficiente poder para aplastar todas las protestas, y todos los días aprueban leyes nuevas que dan más poder a la autoridad central. Pueden hacer cualquier cosa en contra de los derechos de los ciudadanos, en contra de la dignidad de los seres humanos, que es la razón que tiene el hombre para considerarse por sobre el buey. Saben que la gente está deprimida, inquieta, rebelde, porque siente que el gobierno les está privando de sus derechos como ciudadanos. Pero ya no necesitan los votos de la gente. Para re-elegirse les basta con los votos de los empleados que ellos pagan. No les hace falta recordar que existe una diferencia entre los hombres y las cosas. Para ellos,

los hombres también son cosas, son meramente solicitudes que hay que aprobar, estómagos que hay que llenar, sin importar la personalidad, la dignidad, el honor del individuo. Ellos, en su omnipotencia actual, basada en la arena movediza de los fondos federales que reciben por carretones, pueden darse el lamentable lujo de despreciar la decencia y la personalidad humana. Son los arquitectos de la ruina del alma del hombre. En su gobierno todos tienen que caer bajo las ruedas de la inmensa maquinaria del estado. En ese templo negro se renuncia al intelecto y la voluntad, los atavíos característicos del hombre, y también al derecho a buscar la verdad. De esta manera se instituye una sociedad sin ideales y sin Dios. El estado, que es una criatura del hombre, se convierte con ellos en el dueño del hombre, y en lugar de instituciones libres creadas por un espíritu libre, tenemos que enfrentar el peligro aterrador de instituciones tiránicas creadas por un espíritu en bancarrota, por un espíritu abatido, agobiado, engañado. Se ha dicho que la libertad se puede definir como la condición en la cual el individuo no tiene trabas para cumplir con sus deberes y gozar de sus derechos. Pero este gobierno local que sufrimos —una de las últimas úlceras del Nuevo Trato, que lo implantó aquí— quiere que en relación con él, el pueblo sólo tenga deberes y responsabilidades, mientras que en relación con el gobierno federal, quiere solamente privilegios. Un gobierno basado en una falta tan evidente de balance tiene que desaparecer tarde o temprano, tan pronto como su munificiencia monetaria falte, aniquilada por la justicia, la razón, la verdad, por el honor, por la dignidad, por ese fuego secreto que arde en cualquier alma que ame y respete su ciudadanía y su nación. Hemos venido aquí a reafirmar esa verdad.

Este grupo ha sido por tanto tiempo el representante y profeta de las pasadas administraciones democráticas en Puerto Rico, que algunas personas culpan al gobierno de los Estados Unidos por las cosas que hace. Como rebelión contra su falta de ideales, no es de extrañarse que por primera vez los independentistas hayan podido formar un partido en Puerto Rico. La independencia nos arruinaría en seis meses, pero es

104

un ideal del espíritu. Un ideal equivocado, una causa destructiva, pero algo que puede latir en el corazón del hombre. No se puede luchar contra un ideal con dinero y cinismo. Un ideal se combate con otro ideal. El ideal equivocado de la independencia se combate con el ideal correcto de la estadidad. Si se mata el ideal de la estadidad en Puerto Rico nadie podría evitar que la independencia se convirtiera en realidad. De otra parte, miles de independentistas cambian su modo de pensar con cada paso que damos hacia la estadidad.

. . . .

Justicia social, seguridad económica y libertad política*

Luis A. Ferré

Ante la incertidumbre, el descontento, el apasionamiento político, el rencor y el forcejeo de clases que existen en estos momentos tanto en Puerto Rico como fuera de aquí, cabe preguntar si no sería posible dominar por un momento toda pasión, tanto personal como colectiva, y enfocar el problema de la convivencia pacífica del hombre con la llana intención de solucionarlo prácticamente en beneficio de todos los interesados. Los que estamos acostumbrados a aplicar diariamente el razonamiento frío y sereno de los conceptos científicos al estudio de los problemas técnicos, no podemos evitar el problema político social de nuestra tierra.

En primer término, deseamos dejar sentado que rechazamos la reclamación que, de cuando en cuando, en el desenvolvimiento de la historia de los pueblos modernos, hace un grupo de individuos, generalmente organizados en partido político, de monopolizar el sentido de la caridad y del humanitarismo. Partimos de la hipótesis que todo hombre moderno, exceptuando los casos anormales y los delincuentes, que son una ínfima minoría, está modelado y profundamente influenciado por el sentido cristiano de la vida. Y, al decir cristiano, queremos decir la antítesis de bárbaro, es decir, el hombre que es capaz de experimentar el sentimiento de la compasión.

En segundo término, que todo hombre moderno sentiría placer y satisfacción en hacer el bien a sus semejantes. En otra palabra, descartamos la tesis de que un gran número de individuos son malos y desean maltratar o explotar a sus

* Artículo publicado en el periódico *El Mundo*, el 7 de diciembre de 1941. Reproducido en *El propósito humano*, Ediciones Nuevas de Puerto Rico, San Juan, 1972, pp. 14-23.

semejantes, por el mero plancer de hacerlo, o por inclinación natural hacia la maldad.

¿Por qué, pues, debe existir entre hombres que así sienten, un sistema económico que está sujeto a tantas quejas por sus métodos injustos de explotación? A nuestro modo de ver, ésto nace de un atavismo anacrónico que domina todavía al hombre moderno, heredado de las épocas que antedatan nuestra presente civilización industrial, y que se origina en el temor que tiene el hombre al espectro de la escasez. El espectro de la escasez, producto de las sequías, de las plagas, de las enfermedades, de las inundaciones, de las heladas, de todo ese grupo de calamidades que hace sólo cien años fue azote perenne de la humanidad, ha sido la pesadilla cruel del hombre desde que asomó en su mente el primer destello de la inteligencia.

¿Qué ha cambiado, sin embargo, desde entonces para acá? Opinamos que el hecho más significativo ocurrido ha sido la revolución industrial, hija del progreso científico de nuestra técnica. Gracias a ello, el espectro del hambre no tiene hoy razón de ser, pues nuestro dominio de la naturaleza es tal, que salvo un enorme cataclismo de carácter geológico que rehiciera en un momento dado la faz del planeta destruyendo todas las obras creadas por el hombre, no importa sequías, plagas u otras calamidades, el hombre está en condiciones de producir todo el alimento que necesita la humanidad entera y puede, además, dominar con razonable éxito todas las plagas y epidemias que puedan desarrollarse.

El fantasma de la escasez debe, pues, desaparecer de la sicología del individuo. ¿Por qué, nos preguntamos, no ha sucedido esto ya? A nuestra manera de ver, sencillamente porque el hombre no se ha detenido a reordenar sus convicciones y creencias sobre lo que debe ser su organización económico-social a la luz de estos nuevos acontecimientos. Y por no hacerlo, ha creado, involuntariamente, serios problemas de hambre y miseria que no debieran existir. Ha creado principalmente un estado de escasez artificial que ha traído como secuela inevitable un estado de desasosiego y de inseguridad social de tal intensidad, que la humanidad vive siempre atemorizada en el umbral de una revolución.

Veamos lo que queremos significar con ésto. Dentro de nuestro presente sistema capitalista, que ha demostrado ser el sistema de mayor potencialidad para el desarrollo de fuentes de riqueza, tratamos de alejar el espectro de la escasez de cada uno de nosotros y de nuestros familiares por medio de ganancia en los negocios y del ahorro de la misma. Nos sentimos más tranquilos y seguros mientras mayor es la acumulación de nuestras ganancias y mientras mayor es el número de nuestras propiedades. Pero, si a través de esta acumulación de riqueza en nuestras manos, disminuimos hasta un número proporcionalmente pequeño de la población el número de individuos que disfruten de la riqueza general de la comunidad; si estimulamos aún más esta concentración por no establecer mecanismos económicos adecuados que, eliminando las prácticas monopolísticas, difundan y distribuyan entre todos los miembros de la comunidad parte de los beneficios que se vayan obteniendo en el desarrollo de las fuentes de riqueza con la aplicación de mejores y más eficientes métodos de producción industrial y agrícola, crearemos un estado de miseria e inseguridad en la mayoría de los hombres que nos rodean, que, por el contraste, provocará, y con muchísima razón, un estado revolucionario que destruirá por la violencia la obra que nosotros hemos querido llevar a cabo para garantizarnos contra el espectro de la escasez. He ahí por qué es de imperativa necesidad que se tenga siempre presente el efecto social de nuestra política económica individual sobre los demás miembros de la comunidad en que desenvolvemos nuestras actividades.

Si, por el contrario, deseosos de resolver la situación para beneficio de todos, asumimos una actitud comprensiva sin prejuicios ni apasionamientos; si tratamos de darnos cabal cuenta de que dado el presente estado de nuestro progreso técnico, nadie debe padecer escasez en una democracia bien organizada; si nos convencemos de que ello evitaría la perenne amenaza de revolución que hoy nos preocupa, aceptaremos inmediatamente que sería de mutuo beneficio la obligación de desarrollar un sentido de responsabilidad social en cada uno de nosotros, ya que ello es necesario para conseguir tal fin, y desarrollado en esta forma este sentido de responsabilidad social, no nos opondremos a contribuir con aquella parte de nuestro esfuerzo que sea indispensable ofrecer para la solución del problema común que garantice la estabilidad económica de nuestra tierra y su tranquilidad social.

Comprendemos que estamos contemplando una revolución social estimulada por el natural deseo de todo individuo de asegurarse contra el espectro de la miseria y dirigida contra la organización económica, aparentemente representada por el sistema capitalista que permite la anomalía de una escasez artificial dentro de un mercado de excedentes. El ciudadano promedio que observa el éxito maravilloso de la técnica científica no puede aceptar que haya miembros de la comunidad que no puedan satisfacer sus necesidades perentorias mientras que otros pueden gozar de lujos y superfluidades. No comprende cómo pueden destruirse o limitarse las cosechas, mientras hay individuos que padecen hambre. Y el hombre promedio que contempla este estado absurdo de las cosas, se rebela contra él mismo y se une al primer movimiento revolucionario que le prometa destruirlo.

Comprenderemos por qué su rebelión se expresa por un odio natural, aunque muchas veces injustificado, contra todo aquel que retiene en sus manos las fuentes de riqueza productiva de la comunidad y que goza, por lo tanto, de las comodidades y seguridades materiales que tal posición apareja.

Comprenderemos su deseo de arrancar estas fuentes de producción de las manos en que están hoy colocadas, para repartirlas entre todos, creyendo de buena fe que de esta manera puede hacerse desaparecer el espectro de la escasez, la necesidad y la miseria, y que, por este medio, quedará establecido un nuevo orden de justicia social.

. . . .

El progreso de nuestra Isla (1955)*

Luis A. Ferré

Henos aquí de nuevo frente a este sagrado repositorio, limpia la conciencia, recta la intención, firme el propósito y resuelta la voluntad para seguir luchando sin descanso y sin claudicaciones por la feliz realización del supremo Ideal que fue la bandera de orientación y de combate del visionario cuyos son los restos mortales que yacen aquí.

Puerto Rico vive hoy un maravilloso momento de fuerza creadora, prototipo de la evolución pacífica de una sociedad de castas privilegiadas a una sociedad de hombres libres e iguales, que no comienza en 1940, ni en 1932, sino mucho antes, cuando el gran héroe cívico que honramos en este día tiene la presciencia del porvenir y empieza a sembrar en la conciencia pública la semilla de la convivencia en la unión del pueblo de Puerto Rico con el pueblo de Estados Unidos.

El, que se formó en ambiente americano, quiso para su pueblo los valores de ese ambiente. Quiso que la línea, el perfil, la fisonomía de nuestra atmósfera insular fueran una prolongación de la línea, el perfil y la fisonomía de aquel ambiente, inyectados en el tronco recio y rico de nuestra cultura hispana.

El sueño del Dr. Barbosa se hace realidad. El torrente de innovación transfigura y enriquece muchas de nuestras modalidades.

No mencionaremos el adelanto material, obvio y elocuente. Pero sí diremos que ese adelanto, y la superación de nuestro propio espíritu colectivo que nos hace emprendedores y arriesgados, que nos da el sentido americano de las

* Fragmento de discurso pronunciado el 27 de julio de 1955 ante la tumba de Barbosa. Tomado de la revista *El Estado*, VIII:45 (septiembre-octubre, 1955).

instituciones y las actitudes sociales y políticas del americano, es el resultado del talento y el esfuerzo de una generación puertorriqueña, la generación que empezó a recibir el pan de la instrucción bajo el gran sistema de educación libre americano a partir del 1900, que adquirió cultura y saber en el mismo ambiente en que se forjó el grande espíritu cívico y profesional del Dr. Barbosa.

Hasta hace 20 años vivíamos prácticamente bajo un sistema económico feudal heredado de la vieja Europa. El capitalismo carecía de sentido social. Estaba horro del concepto cristiano. Tímido, se concentraba en un solo campo de gran inversión. Y como resultado, la riqueza se acumulaba también en pocas manos.

De la gran guerra del Cuarenta surge la codiciada oportunidad que da comienzo a la transformación puertorriqueña. Nos llega el dinero que era instrumento imprescindible para que la iniciativa puertorriqueña, ya sembrada en la mente y en la voluntad de nuestra clase media y profesional por nuestra educación americana en los principios de igualdad de oportunidades, efectuara la transformación de la economía puertorriqueña. Dinero de los soldados reclutados en la Nación para defender la libertad. Dinero de las exportaciones de ron y otros artículos de Puerto Rico para saciar la sed de mercados desprovistos por el conflicto internacional. Dinero del Gobierno de los Estados Unidos que amplía sus instalaciones de defensa en Puerto Rico. Dinero de nuestros conciudadanos del Norte que pagan los servicios de las Fuerzas Armadas, en tiempos de paz o en épocas de guerra. Dinero de las agencias de préstamos federales —el Banco de Reconstrucción Financiera que inicia nuestro desarrollo industrial; los préstamos de la FHA y los donativos para caseríos públicos, carreteras y hospitales, que dan ímpetu poderoso a la industria de la construcción; el seguro social que comienza a estabilizar el poder adquisitivo del trabajador: los salarios mínimos federales, que empiezan a hacer justicia al obrero.

Y es en este momento que entra en acción la generación puertorriqueña preparada de mente, de espíritu y de cuerpo en ambiente americano para acometer la gran tarea que se traduce en el espléndido adelanto que admiramos hoy por doquiera en toda la Isla.

Ya no está el dinero concentrado en pocas manos. Ahora empieza a desparramarse. Ya no son 4 ó 5 ó 6 los únicos grandes industriales y hombres de negocios del país. Ahora son centenares los hombres jóvenes, preparados en ambiente americano, como los quería el Dr. Barbosa, los que determinan con su técnica profesional, su dedicación al trabajo, su devoción por el estudio y su lealtad al supremo interés de Puerto Rico, este progreso de la Isla que tanta admiración causa al forastero que llega a nuestras playas. Médicos que son grandes financieros, ingenieros que se convierten en poderosos contratistas. Comerciantes que levantan grandes instituciones de negocio. Ganaderos que crean una gran industria lechera. Abogados que forjan una nueva generación de inversionistas. Agricultores que forman poderosas cooperativas.

Y, digamos de una vez, en tributo de justicia merecidísimo, que esa generación puertorriqueña responsable del superior grado de civilización que estamos alcanzando en Puerto Rico, pertenece casi toda ella, sino toda ella, a la misma clase social a que perteneció el Dr. Barbosa y a la que yo me enorgullezco en pertenecer, la clase media.

Una clase media, que con su inteligencia y preparación ha podido iniciar miles de aventuras económicas que ningún dictador, por más inteligente que fuera, hubiese podido empezar a soñar siquiera. Una clase media, que conocedora de las estrecheces y sufrimientos del ser humano por su propia experiencia de hace 15 años, es la mayor fuerza de progreso liberal para nuestras instituciones. Una clase media que por su nuevo concepto de la libertad y la igualdad es la mayor garantía para que en Puerto Rico se le haga justicia al otro gran sector de nuestra población, que ha contribuído con su esfuerzo y laboriosidad a la realización de todo este progreso: la clase obrera.

He ahí las dos clases cuya emancipación y protección constituyen el objetivo supremo del gran Partido Estadista Puertorriqueño; las clases media y obrera. Sobre esos dos puntales de la sociedad democrática es que se ha de levantar el gran edificio de nuestra libertad y nuestra prosperidad. Es manteniendo debidamente garantizados los derechos y las libertades de estas dos grandes clases, que se garantiza el progreso de un pueblo, bajo un régimen democrático y que se sostiene un sano equilibrio en sus instituciones de gobierno.

No es forjando la camisa de fuerza de un gobierno totalitario que quiera obligar al ciudadano a vivir una vida regimentada bajo la férula de una burocracia estéril y miope, ensoberbecida con su intolerante autoridad, despilfarradora de los fondos públicos, y atenta solamente a los intereses de una máquinaria política que la mantenga en el poder —tal cual la pretende hacer el Partido Popular Democrático, que sufre el miraje de creer que la presente prosperidad nuestra es obra de su cien veces errada política de gobierno— que habrá de garantizar el continuado progreso de Puerto Rico.

Es por el contrario, restableciendo el equilibrio político que prevaleció en Puerto Rico hasta que se impuso en el país la férrea dictadura del Partido Popular Democrático, que se mantendrá en este ritmo de progreso, que nació al calor de la influencia democrática que inspiró nuestra educación y preparación política hasta 1940. Es asegurando la libre acción orientadora de la clase media que ha marcado siempre los rumbos de progresos en todos los renacimientos de los pueblos que conoce la historia.

....

Creo en la estadidad (1951)*

James Beverley

Creo en la Estadidad para Puerto Rico. Si se concediese mañana mismo podría ser algo desconcertante en este período de transición. Ciertamente sería mucho más aconsejable pasar primero por un período de transición tal y como lo estamos haciendo ahora.

Primero: La Estadidad es la única solución digna para determinar el status político de Puerto Rico y esto lo digo con cierto sentido de prudencia. Se ha argumentado que la independencia absoluta es la única solución que saciaría los sentimientos innatos de este pueblo, pero en ésta era atómica, en que los gigantes están enfrascados en serias disputas, es en extremo dudoso que una pequeña república pueda llegar a ser algo más que un mero satélite de alguna gran potencia. No veo cómo el ser ciudadano de una minúscula república tropical pueda significar ningún gran honor. Pero sí comprendo el honor que conlleva el ser ciudadano de una gran república como los Estados Unidos donde los senadores y representantes al Congreso toman parte activa en asuntos de carácter nacional, ayudando en esta forma a forjar el destino de esta gran nación en paridad con los demás estados de la Unión. Puerto Rico gozaría de mayor grado de libertad e independencia como estado de la Unión que como república.

Segundo: No existen barreras de raza, tradición o idioma que pudiesen confligir con la Estadidad. Las diversas razas que tenemos en Puerto Rico son las mismas que podemos encontrar en los Estados Unidos continentales, con la diferencia de que los Estados Unidos todavía tienen una mezcla

---

* Beverley fue procurador general y gobernador interino de Puerto Rico. El manifiesto en favor de la estadidad fue publicado en la revista *El Estado*, V:25 (mayo-junio de 1951).

mucho mayor de nacionalidades. Los sentimientos tradicionales de los puertorriqueños son bastante parecidos a los de la gente de muchos estados de la Unión, especialmente a los de los Estados Sureños. Somos más americanos que lo que nos imaginamos, lo cual salta claramente a la vista cuando alguien de este país cambia impresiones con un extranjero. Tenemos el mismo respeto y admiración por la libertad personal y por la de prensa y palabra, y por la de religión. Estas constituyen la base de la gran tradición americana y el pueblo de Puerto Rico no difiere en lo más mínimo en cuanto a estos extremos. Puerto Rico es ahora prácticamente bilingüe y en los próximos años lo será totalmente. El idioma no constituye impedimento alguno. El autor de estas líneas vivió en el territorio de Nuevo Méjico mucho antes de éste convertirse en estado. En aquella época Nuevo Méjico era casi bilingüe y en todos sitios se usaba el español y el inglés. En la política figuraban ilustres apellidos españoles junto a ilustres apellidos ingleses. Nuevo Méjico es todavía bilingüe y ha sido estado de la Unión desde el 1912. El inglés y el español han sido siempre los principales idiomas del Hemisferio Occidental. No es el idioma, por lo tanto, impedimento alguno para la estadidad.

Tercero: ¿Por cuánto tiempo conservaríamos nuestras libertades individuales si nos separásemos de los Estados Unidos? A pesar de nuestra admiración y respeto por la libertad del individuo, creemos que la presión económica y la excesiva población, inevitablemente ocasionarían trastornos de orden social de los cuales es en extremo improbable que puedan surgir hombres fuertes. Al "Hombre a Caballo" como solía decirse hace un par de generaciones, ahora pudiéramos llamarle "el hombre que controla aviones y ametralladoras". En nuestros tiempos modernos una vez se pierde la libertad es muy difícil recobrarla. Aunque el hombre al mando de aviones y ametralladoras puede ser reemplazado por otro, la experiencia nos demuestra que las condiciones del pueblo en general en nada mejoran con esto y no hay libertad que valga la pena mencionarse a menos que sea libertad para el individuo, para uno mismo y para nuestros hijos. Rusia es una nación independiente, pero los rusos, el pueblo ruso, ciertamente no es independiente. La China goza de independencia, pero no así los chinos.

Cuarto: El problema económico que la estadidad conlleva, amerita un cuidadoso examen. Hemos de reconocer que naturalmente los Estados Unidos es el mercado libre para nuestros productos, él nos suple nuestras necesidades y recoge nuestro excedente de obreros. La estadidad sin duda, nos impondría cargas económicas, pero también tendremos ciertas compensaciones en el orden económico y sea como sea, debemos recordar que son pocas las cosas valiosas de este mundo que no nos cuesten algún sacrificio. Si se decidiese una vez y para siempre, concedérsenos la estadidad y se fijara una fecha para admitírsenos como estado de la Unión, podríamos comenzar el período de transición de manera que al ser admitidos, Puerto Rico como estado de la Unión, los aspectos económicos de dicha transición no nos fueran muy onerosos.

Actuamos como americanos, hablamos como americanos y pensamos como americanos. Nuestros muchachos en Corea pelean como americanos defendiendo los Estados Unidos. Nuestras uniones obreras son netamente americanas en la actitud que suelen adoptar. Nuestros líderes gubernamentales actúan y piensan como americanos. Somos por lo tanto, americanos. Por qué no ha de ser Puerto Rico nuestro cuadragésimo noveno estado? La Constitución de los Estados Unidos no contempla territorios y dependencias permanentes. Sólo se aspira a mantener una unión indestructible de estados indestructibles, de hombres libres bajo un gobierno de ley. No creo que pueda tener Puerto Rico mejor destino que convertirse en uno de dichos estados.

Cierto día cinco caballeros asistieron a una reunión de negocios en mi oficina. Al finalizar dicha reunión, permanecimos en la oficina charlando sobre varios tópicos y pude observar que de las seis personas que allí se encontraban solamente yo había nacido en los Estados Unidos continentales. Uno de ellos era Judío polaco, otro había nacido en Checoeslovaquia, uno era puertorriqueño y el otro había nacido en Italia. Pero todos eran americanos en todo el sentido de la palabra. Con excepción del puertorriqueño y yo, quienes éramos ciudadanos residentes en Puerto Rico, los demás eran ciudadanos de distintos estados de la Unión. Todos llegamos a la conclusión de que una de las mayores glorias de nuestra gran nación era poder recoger hombres de diferentes sendas de la vida con las más diversas tradiciones e historia y amalgamarlos todos. En un ambiente de libertad, progreso y justicia, todos se convierten en Americanos. Nosotros, aquí en Puerto Rico tenemos una ciudadanía, historia y tradición de libertad. Estamos frente a la puerta misma que nos ha de conducir a la Estadidad y sólo esperamos que se nos abra esa puerta.

¡Independencia separada, nunca; Independencia anexada, siempre! (1955)*

Eduardo López Tizol

Pueblos, en donde la independencia es una, y la libertad es una mentira, un engaño, no la queremos para ellos, y para Puerto Rico, menos, mucho menos. "Para muestra con un botón basta". Y este repugnante espectáculo que nos sirven, constantemente, nuestros pueblos, rompen toda esperanza y llenan nuestros corazones de amargura y de dolor.

Queremos la independencia fundida en la LIBERTAD, en donde el hombre goce, viva y disfrute de felicidad garantizada, seguro de que al alborear un nuevo día, no se encontrará envuelto en un caos de desesperación. Contemplando la zozobra, agonía y muerte de sus más queridos seres, por mor de un gobierno desajustado, egoísta y tiránico, que nunca supo guiarlo y adiestrarlo democráticamente hacia su progreso general, dentro de los divinos conceptos de INDEPENDENCIA Y LIBERTAD.

Fijémonos en ese bochornoso espectáculo, y no nos dejemos alucinar por las falaces y engañosas prédicas de esos falsos y desorientados fetiches de una INDEPENDENCIA que no explican, porque saben que de explicarla, nadie caería en sus redes llenas de odios y ambiciones personales.

Mirémonos en el caos de Perón, y de los demás perones, que años tras años se gastan nuestros pueblos. Y si somos de la misma raza, idioma, idiosincrasia y costumbres y poseemos los mismos vicios y virtudes temperamentales, ¿qué razones existen para pensar que hemos de ser una excepción, si nos separamos de nuestra gran nación, los Estados Unidos de América, y que no habremos de caer inexorablemente en

* Fragmento del artículo, "Independencia separada, nunca; independencia anexada, siempre". Tomado de revista *El Estado*, VIII: 46 (noviembre-diciembre de 1945).

esas amargas tribulaciones y tristes experiencias?

Inevitablemente caeríamos en lo mismo, ya que no tendríamos las buenas enseñanzas y nos faltarían las garantías de que hoy disfrutamos bajo los pliegues amorosos y protectores de nuestra UNICA BANDERA: LA AMERICANA, que queremos y respetamos, porque bajo ella hemos nacido y crecido, y nos desarrollamos majestuosa y extraordinariamente. Nos ocurriría lo propio de cuando se ausenta el profesor de su pupitre: Caos, desorden, anarquía.

Echemos el corazón a un lado, y utilicemos el cerebro, para con ello poseer una INDEPENDENCIA real y absoluta, en la Independencia de nuestra Patria a los Estados Unidos de América, con libertad para todos, con disfrute efectivo de sus bendiciones de paz, soberanía y dignidad, garantizados por nuestras instituciones nacionales.

En el estado, como parte de nuestra nación, compraremos y venderemos a todo el Mundo, y con nuestro infinito Tesoro Nacional, nos bastaremos, hasta para extender nuestras benefactoras manos hacia nuestros pueblos, y ayudándolos a comprender como es, que los pueblos se hacen grandes y felices por el buen uso de la Libertad y de la Independencia, en todas sus manifestaciones, sin exilios, violencias, revoluciones, endiosamientos y derrocamientos de ambiciosos y engreídos reyezuelos, que siempre, tarde que temprano, el pueblo derriba por los medios democráticos electorales.

Los predicadores de la Independencia separada de nuestra nación, la que ha puesto en nuestras manos toda la maquinaria gubernamental interna, y que se ha reservado, el manejo de los asuntos internacionales para sus ciudadanos, dentro de los cuales contamos los puertorriqueños, deben darse cuenta de que esto es así en todas las naciones del orbe en donde rige un sano gobierno democrático, y que esta reserva es la garantía del uso, no perturbado, de todos nuestros derechos internos y externos, pues a nuestro Puerto Rico, le falta los medios para hacerlos respetar internacionalmente, siendo menesteres enormes que dan valor y fuerza a nuestra CIUDADANIA AMERICANA, de los cuales carecemos por nuestra condición de meros puertorriqueños. Esta es la verdad y nada más que la verdad.

Queremos a Puerto Rico, como queremos a nuestra nación, y por esto es que como leales ciudadanos americanos, y no tránfugas ni traidores, aspiramos a que se nos convierta en un nuevo Estado, de la familia de Estados confederados, en donde gocemos de las bendiciones de nuestra Ciudadanía Americana, al igual que la gozan, los nacidos y residentes de New York, Alabama, Boston, Chicago, California y demás partes de la nación; libres de esclavitud y tiranuelos.

La independencia que tratan de vendernos esos falsos mercaderes ambiciosos, tienden a que nuestra Gloriosa Bandera Americana, nos abandone y se marche para siempre de Puerto Rico, dejándonos solos a nuestra propia suerte; y entonces no podremos ir y venir a nuestro antojo a los Estados Unidos, como lo hacemos ahora, y no podremos hacer valer nuestros derechos de Ciudadanos Americanos como al presente, y nos veremos privados de trasladarnos a ganar nuestro pan, que Puerto Rico nos niega a todos, porque no puede, y tendremos que resignarnos a la tragedia.

Con esa Independencia, el dinero, los dólares americanos, que todo es nuestro hoy como ciudadanos americanos que formamos parte intrínseca de la nación junto con los demás que la constituyen, y que recibimos por CENTENARES DE MILLONES, y con los cuales se pagan a nuestros obreros y trabajadores, a soldados, policías, oficiales y empleados de aduanas, de correos, faros, emigración, tribunales federales y demás; y las ayudas federales para Seguro Social y de vejez que ya estamos recibiendo, y para carreteras, sanidad, educación y otras atenciones, y que vienen de allá, de nuestros Estados Unidos, dejarán de venir a Puerto Rico, ya que aquí ni se fabrican ni vienen de Francia, Italia, Inglaterra, Rusia ni de ninguna otra parte del mundo, y entonces hemos de exclamar, contritos y arrepentidos: ¡Adiós gallina de los huevos de oro! ¿Y quiénes serían los culpables? Esos fariseos; esos desorientados ignorantes; esos que engañan, para saciar su vanidad y su sed de mezquindades y de odios; aquellos que usufructuarán para sí lo poco que quede y de lo que se le tirarán mendrugos a aquellos que se conviertan en sus esclavos seguidores y se avengan humildes y sumisos a sus ansias de mando y de poder.

¡No más soldados americanos nacidos o no nacidos en Puerto Rico!; ¡no más marinería americana! en Puerto Rico; ¡no más veteranos ni legionarios! ¡no más cheques del Tío Sam! para cubrir esas encomiendas. ¡Adiós, adiós, adiós! ¡Adiós todo!

Fijémosnos. ¡Donde está Perón! Recorrió casi todo el mundo, y ¿A dónde ha venido a refugiarse, silenciosa y tranquilamente? En Panamá, donde recibe las garantías necesarias, al calor de nuestra Bandera Americana que está ahí mismo cerca, dando calor, vida y libertad, y garantías de orden de no intervención en los asuntos internacionales por naciones poderosas que pudieran hacer su intento, Nuestra Bandera Americana flota cerca de la República de Panamá, en el territorio del Canal, vigilado y resguardado por nuestras tropas americanas, formadas, en su mayor parte, por americanos nacidos en Puerto Rico, y desde el cual nosotros enviamos gran parte de nuestras entradas en sendos giros postales a nuestros familiares residentes en nuestra isla. ¡Qué mucho nos envidian a muerte! ¡Ah! pobres y torpes soñadores!

Esa independencia separada, y en la cual hoy se sube a uno que supo engañar, para luego el mismo pueblo que lo elevó lo baje a la fuerza, por medio de la violencia, de la agonía, sufrimientos y muerte, no la queremos para este nuestro amado Puerto Rico. Hoy alegre, próspero y feliz, bajo la bandera americana, no, no y no: solo queremos la Independencia del Estado, que es la que nos llevará, esa felicidad por el resto de nuestras existencias a nosotros y a nuestras futuras generaciones tal como reza en nuestra CONSTITUCION AMERICANA, redactada por aquellos hombres, desinteresados, sanos y justos que supieron formar nuestra fuerte, poderosa y democrática nación los Estados Unidos de América.

. . . .

El Republicanismo Moderno (1956)*

Enrique Córdova Díaz

Ya ha transcurrido tiempo suficiente para permitir una consideración objetiva de algunas de las conclusiones que se pueden derivar de los resultados de las elecciones generales de 1956 en Puerto Rico. En este análisis, el que suscribe restringirá sus pensamientos y opiniones principalmente al significado de las elecciones en lo que concierne al futuro del Partido Estadista Republicano de Puerto Rico.

Primero que nada debemos conceder, por necesidad, que el Partido Popular Democrático de Muñoz Marín recibió del electorado de Puerto Rico un fuerte endoso para cuatro años más. La conclusión es ineludible a la luz del margen de victoria del total de votos obtenidos por el Partido Popular en toda la Isla y del hecho de que el Partido Popular ganó todos y cada uno de los distritos representativos y senatoriales, así como cada uno de los municipios.

El electorado de Puerto Rico no deseaba un cambio ahora. Aunque el suscrito sabe que se está aventurando en el campo de la especulación, se inclina a creer que la reelección de Muñoz Marín se deriva principalmente de la aprobación y apoyo general a su programa social y económico de los últimos 16 años, y del hecho irrefutable de que Puerto Rico ha tenido un progreso considerable durante ese periodo. Al igual que en los Estados Unidos, sea cierto o no, el electorado tiende a dar crédito al partido en el poder por el progreso y la prosperidad y a culpar a ese mismo partido en caso de una depresión o de tiempos difíciles. Sobre el asunto peliagudo del status político permanente y final de la Isla, este año el gobernador Muñoz Marín, como en el pasado, fue capaz de

* Fragmento del artículo "Modern Republicanism and the Statehood Republican Party", *Revista El Estado* VIII:51 (diciembre de 1956). Traducido por Yvette Torres Rivera.

ser lo suficientemente ambiguo e incierto con respecto a si encauzaría o dirigiría la relación política de Puerto Rico con los Estados Unidos bajo el Estado Libre Asociado hacia una unión permanente y definitiva sin llegar a la estadidad, o hacia la separación definitiva de la Unión sin llegar a la independencia técnica absoluta, que al hacerlo, sin duda atrajo miles de votos de personas que abogan por la unión permanente como también miles de votos de los que abogan por la separación de los Estados Unidos, sin mencionar a los muchos que han estado dispuestos, y todavía lo están, a darle carta blanca en esta importante decisión que todavía no se ha tomado con respecto al status político último de Puerto Rico.

Sin embargo, el acontecimiento más importante de estas elecciones no fue la victoria que se esperaba del gobernador Muñoz Marín y su Partido, sino más bien el resurgimiento del Partido Estadista Republicano como el rival más fuerte del Partido Popular por el predominio en la arena política de Puerto Rico. No hay duda de que cada voto obtenido por el Partido Estadista Republicano entraña un endoso o apoyo a la unión permanente con los Estados Unidos en igualdad con la Unión, con la estadidad como última meta. Esto es así porque el Partido Estadista Republicano está y ha estado siempre precisa y claramente a favor de la unión permanente, la estadidad como meta última y la conservación de nuestra ciudadanía americana. Por la misma razón, todos los votos recibidos por el tercer partido político principal, el Partido Independentista, representaban un endoso a la independencia absoluta y completa sin demoras. Esto es así porque el Partido Independentista honrada y francamenta aboga por tal acción. De aquí que, aparte del Partido Popular, que como hemos señalado es ambiguo e incierto con respecto a la relación última de Puerto Rico con los Estados Unidos y debido a esa misma ambigüedad ha podido atraer votantes en Puerto Rico que tienen puntos de vista opuestos en este asunto, este año el electorado que votó por el Partido Estadista Republicano o por el Partido Independentista asumió una posición clara al escoger entre la unión permanente con la estadidad como meta última y la independencia completa y absoluta ahora. El resultado de estas elecciones, en este respecto, fue una victoria completa para la unión permanente, ya que el Partido Estadista Republicano alcanzó 175,000 votos y el Partido Independentista alcanzó aproximadamente 90,000 votos.

Una cosa queda clara, no sólo del resultado de las elecciones de 1956 sino además del resultado de las elecciones de 1952 y 1948, en todas las cuales el Partido Popular ganó la isla tan completamente o casi tan completamente como en las elecciones que acabamos de tener y es que, mientras el Partido Popular dirigido por el gobernador Muñoz Marín esté en la escena política y, descartando un cambio radical y definitivo hacia la independencia por parte del gobernador Muñoz Marín, ningún partido de minoría puede esperar ganar unas elecciones generales sobre el issue del status nada más. Cualquier partido de este tipo debe proponer, además del issue del status, un programa económico y social progresista y realista, presentado por líderes que no tengan ataduras con el pasado y que puedan despertar la confianza del pueblo. En este sentido la situación en Puerto Rico es algo análoga a lo que ha sucedido, y está sucediendo, en los Estados Unidos al Partido Republicano. No hay duda de que en el pasado, y aún hoy en cierta medida, la gente en los Estados Unidos ha asociado al Partido Republicano con el conservadurismo, con la tendencia a favorecer a las grandes empresas y a olvidarse del hombre común. Por otra parte el Partido Demócrata, desde la época del Nuevo Trato, ha sido identificado como el partido liberal, a veces radical, que fomenta y pone en práctica programas de naturaleza social que tienden a ayudar al hombre común en vez de a los intereses de las grandes empresas.

Generalmente se admite que las victorias del Presidente Eisenhower en 1952 y 1956 como candidato presidencial republicano no han sido victorias del Partido Republicano como tal, sino triunfos personales resultado de su gran popularidad y de la gran confianza que el pueblo tiene en él como líder en estos tiempos difíciles, y específicamente porque el pueblo se da cuenta de que el Presidente Eisenhower cree sinceramente en lo que él llama el Republicanismo Moderno, que es muy distinto de las ideas y principios conocidos como el republicanismo de vieja guardia. Sólo así podemos explicar que haya obtenido una victoria abrumadora para la presidencia en 1956 y, sin embargo, esos mismos electores, votando en el mismo momento, hayan elegido una Cámara y Senado Demócratas. El Presidente Eisenhower señaló en una conferencia de prensa reciente que él atribuye la derrota del Partido Republicano en el Congreso, no obstante la victoria aplastante del candidato presidencial republicano, al hecho de que la gente aún no está convencida de que el Partido Republicano y sus líderes a través de toda la Nación han adoptado los principios del Republicanismo Moderno por los que él aboga, y de que han enterrado las doctrinas del republicanismo de vieja guardia de años atrás.

Así vemos en la Nación la necesidad de que el Partido Republicano se transforme en un partido liberal progresista y realista con líderes que crean en este principio y, lo que es más importante, que puedan ir a la Nación con la seguridad de que la gente va a creer en su sinceridad. El Partido Estadista Republicano en Puerto Rico también debe cambiar las ideas y programas de vieja guardia. Al hacerlo, debe auspiciar programas liberales progresistas sin sacrificar los otros principios básicos necesarios para la supervivencia de la empresa privada dentro de una democracia gobernada para el bienestar de la mayoría y no de una minoría.

El Partido Estadista Republicano de Puerto Rico debe no sólo patrocinar y abogar por programas acordes con estos principios sino que debe abogar por ellos con un liderato que no tenga ataduras con el pasado y que pueda ganarse la confianza del pueblo. Esta tarea no es fácil. Hemos visto cuán difícil ha sido y todavía es para el Partido Republicano en los Estados Unidos alcanzar este resultado deseado.

Sin embargo, bajo el liderato del Presidente Eisenhower no hay dudas de que el Partido Republicano está encaminado a convertirse en el partido del futuro en los Estados Unidos. En Puerto Rico el Partido Estadista Republicano ha tenido la suerte de encontrar un hombre capaz de darnos este nuevo liderato progresista y que ha demostrado que tiene una popularidad considerable para obtener votos, cualidad tan esencial en un sistema democrático del tipo norteamericano como el nuestro, para que un partido político alcance la victoria en las urnas.

El Partido Estadista Republicano debe apoyar a este nuevo líder, despojarse de todo vestigio del pasado que asocie al partido con una era de conservadurismo extremo, y presentar al electorado, comenzando ahora y hasta el día de las elecciones en 1960, un programa progresista factible y creíble en armonía con la doctrina de republicanismo moderno del Presidente Eisenhower. Este programa, con un nuevo liderato tal, junto con la posición del Partido Estadista Republicano con respecto a la unión permanente y la igualdad definitiva en la Unión como estado de la Unión, muy bien podría persuadir a la mayoría del pueblo de Puerto Rico de que en 1960 habrá llegado el momento para un cambio y de que el Partido Estadista Republicano está dispuesto y preparado para hacerse cargo de la administración del gobierno en las ramas legislativa y ejecutiva, con un programa que redundará en beneficio del pueblo de Puerto Rico y que le asegurará la unión permanente de Puerto Rico con los Estados Unidos con la estadidad como meta última, una seguridad que ahora no tienen.

La estadidad es para los pobres*

Carlos Romero Barceló

Querido Amigo:

Siempre que le digo a alguien que la estadidad es para los pobres, noto en su rostro sorpresa o, por lo menos, una sonrisa de inseguridad. Como si la persona casi no pudiera creerlo. Como si se tratara de algo que es demasiado bueno para ser verdad.

He pensado mucho sobre esta reacción de los buenos amigos, muchos de los cuales han sido defensores y creyentes del ideal de estadidad durante toda su vida. Y he llegado a la conclusión que los enemigos de la Estadidad Puertorriqueña han logrado confundir a muchos con su campaña de descrédito a nuestro ideal. Por ejemplo, los líderes independentistas de último cuño —los de estos tiempos— han fabricado la frase de "¡Arriba los de abajo!" procurando así identificar el status de su preferencia con los pobres. Sin hablar mal de la estadidad, este grito de combate de los amigos independentistas casi dice que la estadidad es un status para los ricos de Puerto Rico. Casi parece lógico que si la independencia es para los pobres, la estadidad, que muchos consideran —equivocadamente— lo contrario de la independencia, sea para los ricos. Los estadolibristas, por su lado, han venido diciéndonos a los puertorriqueños, sobre todo por los últimos veinte años, que el estadolibrismo es el único status que garantiza que nuevas fábricas sigan abriéndose en Puerto Rico para que tengamos más empleos y podamos progresar. Esto, desde luego, es una gran mentira. Es posiblemente la mentira más grande que se haya dicho al Pueblo de Puerto Rico a lo largo de toda su historia. Pero, desgraciadamente,

---

* Prólogo al folleto publicado bajo el mismo título (San Juan de Puerto Rico, 1972), 1-5.

la han dicho tantas veces y la han dicho con tanta fuerza que muchos han llegado a creer que es así. Desde luego que, si uno llega a convencerse —o llegan a convencer a uno— de que el estadolibrismo es la única manera de que sigan viniendo fábricas a Puerto Rico, entonces lo más lógico es pensar que el estadolibrismo es la solución de los pobres, la salvación de los pobres de Puerto Rico.

Por otro lado, el campeón de la estadidad en nuestros días ha sido don Luis A. Ferré, un hombre millonario. Ese hecho quizás ha ayudado a que la estadidad quede identificada con la clase rica. Pocos parecen pensar que la realidad es que don Luis Ferré no es un rico cualquiera; no es un rico como los demás; no es el rico típico. Es un rico excepcional. Un rico que ha sido generoso con sus bienes. Un rico con una gran conciencia social, que ha hecho justicia a sus empleados; un rico que se ha desprendido de gran parte de sus riquezas para repartirlas o para ponerlas a trabajar en beneficio del pueblo, para ayudar y recrear a su pueblo. Pocos parecen pensar tampoco en que mientras un rico muy conocido —sin duda el rico más conocido, aunque no el hombre más rico de todo Puerto Rico— defiende la estadidad, la gran mayoría, la inmensa mayoría de los ricos de Puerto Rico lo que defienden —y a brazo partido— es el estadolibrismo. Si pusiéramos todos los ricos de Puerto Rico que defienden el estadolibrismo en un lado de una gran balanza y en el otro lado los ricos que defienden la estadidad, la balanza se inclinaría aplastantemente del lado del estadolibrismo.

De todos modos, la infamia que se ha propagado en Puerto Rico acerca de la estadidad es que se trata de algo de los ricos para los ricos.

La realidad, desde luego, es todo lo contrario. La Estadidad Puertorriqueña será una bendición precisamente para aquellos que están en peores condiciones económicas. Y será una carga más pesada para aquellos que están en mejores condiciones económicas. Aunque, a fin de cuentas, ellos también se beneficiarán con el auge económico que se propiciará cuando Puerto Rico logre convertirse en un estado de la Unión.

Cuando se conoce esa realidad resulta fácil comprender por qué es que los grandes intereses en Puerto Rico han militado y, en su inmensa mayoría, siguen militando en favor del estadolibrismo. Comprende uno entonces el por qué con la campaña plebiscitaria de 1967 se organizó aquel grupo de hombres acaudalados que hizo posible la campaña del Partido Popular a favor del estadolibrismo, aquella entidad que se conoció como "Hombres de Empresa Pro Estado Libre Asociado". Comprende uno entonces por qué don Luis Ferré es la gran excepción —un rico que defiende los pobres y defiende los intereses de los pobres de Puerto Rico; un rico que defiende la estadidad porque se ha dado cuenta de que la estadidad nos ayudará a conseguir los medios para que los hijos de los puertorriqueños pobres tengan una oportunidad de alcanzar muchas de las cosas que los hijos de don Luis han tenido siempre y ellos no.

Aquellos que lean las páginas que siguen, buscando disquisiciones de alta economía que el pueblo no alcanza nunca a comprender, se van a encontrar defraudados. Este es un librito precisamente escrito con palabras sencillas para que lo entienda la buena gente puertorriqueña que habla con palabras sencillas. Es un libro escrito para todos, porque la decisión sobre el futuro de Puerto Rico nos afectará a todos y, como tal, es responsabilidad de todos los puertorriqueños. Contrario a muchos de nuestros adversarios que se empeñan en respaldar sus fórmulas políticas favoritas con argumentos complicados que la mayor parte del pueblo no entiende, he procurado que estas páginas estén escritas en lenguaje sencillo y claro que todos entiendan. Sé, de antemano, que algunos rechazarán este librito como algo demasiado sencillo. Son aquellos que le predican al Pueblo de Puerto Rico sobre cosas que el Pueblo no entiende y lo hacen a propósito porque, en realidad, desprecian a ese mismo Pueblo y se creen superior a él. Son los que, con muy raras excepciones, han dominado el escenario político puertorriqueño. Son los que gustan de utilizar frases bonitas en la tribuna política, porque mucha de nuestra gente, sin saber en realidad lo que le están diciendo aplauden porque las frases son bonitas.

Ha llegado el momento de que al Pueblo de Puerto Rico se le hable claro sobre su destino político. Ha llegado la hora de decir las cosas como son. Este buen Pueblo nuestro está cansado desde hace muchos años de la palabrería que sólo adormece el pensamiento y posterga la verdadera solución de nuestros problemas, de los verdaderos problemas que aquejan al Pueblo Puertorriqueño.

No pretendo yo y, por lo tanto, no pretende este libro, decir la última palabra sobre la problemática del Pueblo de Puerto Rico. Mucho se ha escrito y, antes de que todos pongamos fin a los argumentos con nuestra decisión de Pueblo, mucho más habrá de escribirse y mucho más habrá de decirse. Pero lo que sí pretendo hacer es hablar claro sobre los problemas de Puerto Rico y cómo la estadidad, cuando el Pueblo la pida y los Estados Unidos la otorguen en obediencia al reclamo puertorriqueño, habrá de ayudarnos mejor a resolver nuestros propios problemas.

Nótese que hablo en términos de que la estadidad nos *ayude* a resolver nuestros propios problemas. No hay solución mágica para todos los problemas de Puerto Rico. No hay solución mágica para nada en este mundo. Pero sí hay una solución al dilema de status que nos ayudaría a los puertorriqueños a bregar mejor con nuestros problemas y a buscarles solución. Esa solución es la estadidad.

Como estoy plenamente convencido de que la estadidad es la mejor manera de bregar con nuestros propios problemas he dedicado gran parte de mis esfuerzos en la vida pública hasta hoy —y seguiré dedicándolos mientras viva— a hacer todo lo que pueda para que más y más de mis hermanos puertorriqueños caigan en cuenta de esto. Solamente cuando la mayoría de los puertorriqueños decidamos pedir la estadidad en un referéndum o plebiscito estará Puerto Rico en el mejor camino para ir resolviendo los problemas que le agobian. Como esa es una decisión que nuestro pueblo tiene que hacer mayoritariamente, este modesto libro está encaminado a lograr que más y más puertorriqueños lleguen a conocer las bondades de la estadidad y lo que esa fórmula habrá de representar para Puerto Rico.. No hay que esperar que los industriales —los que se lucran de la exención contributiva— en Puerto Rico... digan esa verdad a nuestro Pueblo. Esa verdad va en contra de sus intereses y de sus bolsillos. Después de todo, hombres ricos, desprendidos y generosos como don Luis Ferré no nacen todos los días.

Estoy casi seguro de que este pequeño libro creará controversia. La creará porque va en contra de los intereses económicos de los que viven del estadolibrismo. Alguien ha dicho con gran acierto que la parte más sensitiva del cuerpo humano es el bolsillo. Espero pues que este librito, que toca el bolsillo de tantos en Puerto Rico, sea atacado. No me extrañaría que se organizara una campaña de descrédito financiada —abierta o secretamente— por esos hombres que necesitan el estadolibrismo para seguir engordando sus fortunas.

Pero, al fin y al cabo, nada conseguirán si el Pueblo despierta y reacciona. Después de todo, en el sistema democrático de vida quienes votan son los ciudadanos y no las cuentas de cheques y las billeteras.

Tengo gran fe en nuestra juventud puertorriqueña. Tengo gran fe en la juventud porque sé que esa juventud tiene menos prejuicios, menos compromisos, menos ataduras fiscales. Y, lo que es más importante, tiene una visión amplia y un sueño generoso de lo que debe ser Puerto Rico.

Por eso he querido dedicar este librito de modo especial a la juventud puertorriqueña. Y, para concretizar esta dedicatoria aun más, he querido dedicárselo a mis hijos —Carlos, Andrés, Juan Carlos, y Melinda— con la esperanza de poder legarles un Puerto Rico Mejor.

¿Por qué la estadidad? (1977)*

Carlos Romero Barceló

···

(...) Examinemos las razones por las cuales creo que Puerto Rico cumple con [los] requisitos de elegibilidad para convertirse en Estado.

Nadie debe dudar del amor que sienten nuestros residentes por los ideales de un gobierno democrático estadounidense (...) Nuestra lealtad a la Nación ha quedado probada una y otra vez. Nuestro pueblo ha defendido bien y honrosamente a los Estados Unidos en todas las guerras en que ha participado nuestra Nación durante este siglo.

Puerto Rico ha contribuido más manos de obra *(sic)* a las Fuerzas Armadas de los Estados Unidos, y ha sufrido más bajas que cualquier otro Estado al momento de su admisión a la Unión —sólo 22 estados tienen más veteranos de guerra que Puerto Rico. Muchos han alcanzado los más altos rangos de liderato. Entre ellos están el General Pedro del Valle, del Cuerpo de la Marina; el Almirante Horacio Rivero, de la Fuerza Naval, y más tarde Embajador de los Estados Unidos en España; el General César Cordero, de las Fuerzas Armadas; y el General Enrique Méndez, actual Diputado del Cirujano General de las Fuerzas Armadas de los Estados Unidos.

Muchos murieron en defensa de nuestra Nación; Puerto Rico ha sufrido más pérdidas de guerra que 14 de los Estados, más el Distrito de Colombia. El Congreso ha otorgado Medallas de Honor a cuatro puertorriqueños —todas póstumamente. Se impone entonces la pregunta: ¿es justo que se obligue a aquellos puertorriqueños, quienes no disfrutan del pleno ejercicio de sus derechos civiles, a cumplir con la obligación final que les exige su ciudadanía —morir por su país en igualdad de condiciones que sus conciudadanos en el

* Selección del discurso pronunciado ante el *Los Angeles World Affairs Council*, el 6 de diciembre de 1977. Reproducido en la colección de discursos de Romero, *Forjando el futuro* (San Juan. 1978), 227-232.

continente— mientras se les niega el atributo fundamental de su ciudadanía, es decir, el derecho a votar por el Presidente y el Vice-Presidente?

La segunda prueba de elegibilidad consiste en que la mayoría de nuestro electorado debe demostrar su deseo de que se nos conceda la estadidad.

Expusimos al principio cómo la llama de la estadidad, la cual ardió con intensidad a principios de este siglo, se fue apagando lentamente; primero, debido a más de 25 años de insensibilidad de parte de oficiales nombrados por Washington, y luego por casi 40 años de propaganda anti-estadidad difundida a través de todos los medios por parte de Administraciones pro-estado libre asociado. En 1952, sólo el 12.9 por ciento del electorado votó por el partido estadista, mientras que casi el 20 por ciento votó por el partido pro-independencia. Sin embargo, en el cuarto de siglo intermedio, la situación ha cambiado dramáticamente. Mientras el voto por los partidos que apoyan la independencia y el estado libre asociado ha bajado a un siete por ciento y un 45 por ciento respectivamente; el partido pro-estadidad ha aumentado consistentemente su respaldo con cada elección, y triunfó con un 48 por ciento del voto en 1976.

El crecimiento económico de Puerto Rico ha creado una clase media donde antes no existía. Esta clase media ha adoptado muchos de los valores y estilos de vida de la clase media del continente. La comunicación instantánea y las facilidades de transportación desde y hacia el continente, han servido para salvar el abismo cultural que existía entre la Isla y el continente. Actualmente estamos mucho más cerca de Estados Unidos continental —en términos de tiempo y de valores— que hace 25 años atrás. En parte, esto explica el surgimiento de ese sentimiento pro-estadidad en Puerto Rico.

En 1967 se celebró un plebiscito en la Isla en el cual el estado libre asociado, la estadidad y la independencia obtuvieron el 60, 39 y 1 por ciento respectivamente.

A partir de 1967, la edad límite para votar se bajó de 21 a 18 años, y se concedió el derecho al voto a más de un millón de personas adicionales. Encuestas recientes indican que de llevarse a cabo un plebiscito similar en Puerto Rico actualmente, la estadidad triunfaría sobre el estado libre asociado por un estrecho margen, y sobre la independencia por un número considerable de votos. En un plebiscito entre las dos alternativas verdaderamente permanentes —estadidad e independencia—. la estadidad triunfaría por un margen de más de 5 a 1. Mi Administración favorece el que se lleve a cabo un plebiscito sobre este asunto en algún momento después de las elecciones de 1980, y confío en que la estadidad habrá de ser la alternativa preferida por la mayoría de nuestros votantes.

También resulta interesante advertir que la encuesta Gallup que se llevó a cabo a principios de este año en Estados Unidos indicó que aproximadamente el 60 por ciento de los entrevistados favoreció la estadidad para Puerto Rico; y aquí en el oeste, la encuesta mostró una preferencia aún mayor.

La tercera prueba de elegibilidad consiste en que el propuesto nuevo Estado debe tener suficiente población y recursos para mantener un gobierno estatal y aportar además su parte al gobierno federal.

De nuevo Puerto Rico llena ambos requisitos. Al presente, Puerto Rico tiene una población mayor, y un ingreso per capita más alto que el de cualquiera de los Estados al momento de su ingreso a la Unión. Con un producto bruto de 7.5 billones de dólares, y un presupuesto de 1.7 billones, la economía puertorriqueña está lista para dar sus primeros pasos hacia la estadidad.

El hecho de que Puerto Rico compra anualmente más de cuatro billones de dólares en bienes y servicios al continente, es un dato que pocos conocen. Estas compras se traducen en empleos directos e indirectos en varios Estados. Por ejemplo, un estudio reciente calculó que las compras de Puerto Rico produjeron más de 150,000 empleos en los 50 Estados de la Unión; incluyendo por lo menos 15,000 en California. Es mi opinión que cuando seamos Estado, al convertirnos en parte integral de la economía de los Estados Unidos, no sólo mantendremos el nivel de comercio que tenemos actualmente sino que éste habrá de aumentar.

No hay duda de que debido a nuestra actual situación económica, posiblemente seamos uno de los Estados menos afluentes de la Nación. Pero me niego a creer que la avaricia económica sea la única razón que motive al gobierno federal a admitir un nuevo Estado a la Unión. Si esta hubiese sido la base sobre la cual se fundó nuestra república, seguramente la Unión no hubiese durado mucho. La fuerza de nuestra Unión reside en la capacidad que tiene el gobierno, para beneficio común, de utilizar los recursos de cada Estado, y así satisfacer las necesidades de los Estados en general. Cada Estado contribuye al bienestar de todos los Estados de acuerdo a su capacidad. Algunos contribuyen más capital, otros más poder adquisitivo, otros contribuyen mano de obra y recursos humanos; pero todos contribuyen significativamente para lograr el éxito de la Unión.

La estadidad para Puerto Rico*

Carlos Romero Barceló

Comenzaré por mencionar un punto en el que todos los puertorriqueños estamos de acuerdo, no importa nuestra posición con respecto al status.

El punto es el siguiente: somos un pueblo; *el pueblo de Puerto Rico.*

Como tal, tenemos una aspiración básica: proteger y mejorar el bienestar de nuestras familias y el de las generaciones futuras de puertorriqueños.

Todas nuestras demás aspiraciones se derivan de esa sencilla pero profundamente importante consideración.

El segundo hecho fundamental es que más del 90 por ciento de los puertorriqueños están satisfechos y contentos de ser ciudadanos de los Estados Unidos.

— Nosotros no le pedimos a los Estados Unidos que le arrebatara Puerto Rico a España. Y no le pedimos al Congreso que nos hiciera ciudadanos americanos en 1917.

— No obstante, después de 85 años bajo la bandera norteamericana, y luego de 66 años de ciudadanía americana, *el pueblo de Puerto Rico en su gran mayoría se opone a la independencia.*

A pesar de nuestra densidad poblacional sumamente alta, y a pesar de nuestra carencia total de ingresos provenientes de recursos minerales, y a pesar de los niveles espantosos de pobreza que existían en nuestra isla hace tan sólo unas décadas, el pueblo puertorriqueño puede mirar con orgullo el reciente récord de logros realmente notables en el progreso social y económico, especialmente en comparación con nuestros vecinos del Caribe y Latinoamérica.

Ese progreso no hubiese sido posible, en primer lugar, sin

* Publicado en el Congressional Record, 129:46 (13 de abril de 1983). Traducido por Yvette Torres Rivera.

el empuje increíble de nuestro pueblo: el deseo de proporcionar a nuestros hijos más y mejores oportunidades de las que nosotros hemos tenido. Tampoco hubiese sido posible sin la amistad y cooperación de nuestros conciudadanos del continente, ni sin la comprensión y apoyo financiero del gobierno federal. Tampoco hubiese sido posible sin las libertades individuales y las instituciones democráticas del gobierno que nos garantiza la ciudadanía americana.

Sin embargo, a pesar de nuestro progreso extraordinario, y a pesar de la medida en la que la asistencia federal nos ha ayudado a alcanzar ese progreso, no vivimos en un mundo de ilusiones. Sabemos muy bien que Puerto Rico sigue sufriendo problemas sociales y económicos serios. Y también sabemos que nuestra relación con el gobierno federal es inadecuada en muchos aspectos.

A pesar de todo, sin embargo, en elección tras elección, los partidos políticos independentistas de Puerto Rico no alcanzan más del cinco, o el seis o el siete por ciento de los votos.

En contraste, en los 31 años desde que se creó el llamado Estado Libre Asociado, el movimiento *estadista* casi ha *cuadruplicado* su proporción de los votos, elevándose de un 12.9 por ciento en 1952, a un 47 ó 48 por ciento en las últimas dos elecciones.

En la medida en que el crecimiento económico espectacular de las décadas del 40 y del 50 se ha nivelado, el *des*contento entre los votantes puertorriqueños se ha manifestado *no* con un mayor apoyo a la independencia, sino con un creciente apoyo a la estadidad. ¿Por qué?

La respuesta es que los puertorriqueños cada vez reconocen más las virtudes de la estadidad y las limitaciones del Estado Libre Asociado, mientras que siguen reconociendo, como siempre lo han hecho, que la retórica de los defensores de la independencia no tiene sentido.

No sólo eso, sino que además reconocen la hipocresía de muchos de los portavoces de la independencia, como también el emocionalismo vacío de sus esfuerzos por apelar a nuestro deseo universal de conservar y fortalecer nuestra identidad como pueblo.

Estos predicadores del separatismo denuncian la enseñanza del inglés en nuestras escuelas públicas. Dicen que el inglés es una amenaza a nuestra cultura puertorriqueña. Pero la mayoría de estos defensores de la independencia dominan con fluidez el inglés, y sin embargo *su* sentido de identidad como puertorriqueños no parece haberse debilitado en lo más mínimo. ¡De hecho, se consideran los más puros de los patriotas puertorriqueños!

¿Será posible, entonces, que su verdadera motivación no sea realmente la preservación de nuestra identidad como pueblo, sino más bien la creación de un abismo de incomprensión y la incapacidad de comunicarse con nuestros conciudadanos en el continente? ¿Qué otra razón habría para denegar a otros puertorriqueños una ventaja de la cual ellos mismos gozan?

Y aún más hipócritas son algunos de los defensores de la llamada "liberación puertorriqueña", radicados aquí en Nueva York y en Chicago. La mayor parte de ellos apenas pueden hablar español; otros ni siquiera nacieron en Puerto Rico; y otros no son puertorriqueños, ni por nacimiento ni por herencia, y por lo tanto probablemente ni siquiera querrían vivir en Puerto Rico si éste efectivamente fuera independiente!

Casos similares de falta de honradez intelecual también han minado el apoyo al statu quo.

Con la adopción de la constitución local de Puerto Rico en 1952, la isla fue objeto de un cambio en nomenclatura: pasó de "territorio" a "estado libre asociado".

Durante la gobernación del difunto Luis Muñoz Marín, muchos puertorriqueños habían aceptado su afirmación de que los acontecimientos de 1952 realmente habían producido un cierto tipo de "autonomía" para Puerto Rico. Más aún, habían aceptado su visión de una autonomía "culminada", que se habría de alcanzar en el futuro cercano, bajo la cual Puerto Rico adquiriría grados cada vez mayores de gobierno propio, hasta el punto de que, a la larga, nuestra isla casi podría describirse como una "república asociada" de los Estados Unidos.

No obstante, daría la voz de alerta a los académicos y políticos que puedan estar pensando en términos de que se le *imponga* una decisión a Puerto Rico. De hecho me sorprende que, en esta época, este tipo de propuestas se haya siquiera planteado como tema de discusión en círculos refinados.

Si hay algo que los Estados Unidos debían haber aprendido, desde el final de la Segunda Guerra Mundial, es que nuestra nación no puede ganar amigos y construir alianzas comportándose de manera condescendiente.

Puede que suene bien, en teoría, proponer que el Congreso redacte soluciones alternativas para Puerto Rico, y que luego se sometan esas soluciones al voto de nuestro pueblo. Y puede que suene bien, en teoría, diseñar un anteproyecto para una "independencia amistosa", y después tratar de persuadir a los puertorriqueños de que lo acepten.

Pero al igual que en el caso de tantos otros lugares del mundo, el dilema del status político de Puerto Rico es *demasiado complejo* para resolverlo mediante *ninguna* forma de intervención externa, no importa cuán sincera y bien intencionada pueda ser esa intervención.

El gobierno de los Estados Unidos ha declarado públicamente que apoya la *autodeterminación* para Puerto Rico. *Y así es como debe ser.*

Nosotros los puertorriqueños debemos ser los que tomemos la iniciativa para resolver nuestro dilema del status político. La intervención externa, sea de las Naciones Unidas, sea de Washington, sea de un campus universitario, o de un "banco de cerebros", *no puede ser tolerada y no lo será.*

Lo que está en juego es *nuestro* destino. Nosotros y sólo nosotros debemos decidir lo que queremos que sea ese destino. Una vez hayamos decidido, entonces —y sólo entonces— estaremos preparados para sentarnos con los representantes *elegidos* por nuestros conciudadanos americanos, para resolver los detalles de la ejecución de esa decisión.

En conclusión, los dejo con una última observación.

Ningún grupo étnico, racial o religioso dentro de ninguna nación ha sido capaz, históricamente, de alcanzar la igualdad social y económica si no ha alcanzado primero la igualdad política.

Los puertorriqueños estamos comprometidos con la preservación de nuestra identidad como pueblo, y estamos comprometidos con la preservación de nuestra ciudadanía americana.

Como consecuencia, a fin de alcanzar nuestra meta de igualdad social y económica con nuestros conciudadanos americanos, es nuestro deber insistir en la lucha por obtener la *igualdad política.*

Los irlandeses lo lograron. Los italianos lo lograron. Los judíos lo lograron. Los negros lo están logrando. Las mujeres lo están logrando. *Y los puertorriqueños también tienen que lograrlo.*

La aceptación plena, y las oportunidades plenas, para los puertorriqueños en la isla y para los puertorriqueños en el continente, nunca se alcanzarán hasta que el pueblo de Puerto Rico exija la igualdad política. Y la igualdad política significa la *estadidad.*

Este concepto, en combinación con el progreso económico rápido que entonces se alcanzaba, parecía viable y atractivo, especialmente como lo exponía Muñoz, que era un líder muy enérgico y carismático.

No obstante, gradualmente nuestro pueblo se fue desilusionando. A lo largo de un periodo de 20 años Muñoz, y los gobernadores "estadolibristas" subsiguientes, fueron en repetidas ocasiones al Congreso con propuestas para una mayor autonomía. Y no lograron absolutamente nada.

Durante este mismo periodo, poco a poco, los estadistas logramos que el público votante adquiriera consciencia de la *verdad:* que el "estado libre asociado" fundamentalmente no era distinto del status de territorio; que el Congreso había *delegado parte* de su autoridad, pero que no había *renunciado* a ella. Además, como también señalamos, la Constitución le *prohíbe* al Congreso que renuncie a esa autoridad, salvo en el caso de la concesión de la estadidad o la independencia.

Como he observado con frecuencia en otros foros, la

"autonomía cosmética" del llamado "pacto de libre asociación" era útil al interés nacional de los Estados Unidos en 1952, porque durante una época de descolonización mundial, le permitía a Washington lograr que se sacara a Puerto Rico de la lista de territorios sin gobierno propio de las Naciones Unidas. Desde que se alcanzó ese objetivo, sin embargo, el Congreso y la Casa Blanca no han tenido ningún incentivo adicional para delegar privilegios especiales adicionales a Puerto Rico; especialmente privilegios que nunca han tenido ninguno de los estados.

Durante esta década, en la medida en que los tiempos económicos difíciles han impulsado a Washington a apretar los bolsillos federales, las limitaciones y deficiencias del "estado libre asociado" se han hecho todavía más evidentes.

El ejemplo más dramático ocurrió el año pasado, cuando el Presidente del Comité de Finanzas del Senado, Robert Dole, propuso unos cambios significativos en la Sección 936 del Código de Rentas Internas.

La Sección 936 es la disposición que otorga exención de los impuestos federales sobre corporaciones a las firmas manufactureras que operan dentro de las posesiones de los Estados Unidos. Los "estadolibristas" siempre han mencionado esta exención como una de las ventajas más grandes —si no *la* más grande— de nuestro status político actual. Esta es la piedra angular de la tan cacareada "autonomía fiscal". (En realidad, esta exención también existía cuando Puerto Rico era llamado territorio, pero los "estadolibristas" siempre se olvidan, convenientemente, de mencionarlo.)

Así fue que, durante décadas, los "estadolibristas" advirtieron que la estadidad sería económicamente desastrosa, porque perderíamos todas nuestras plantas manufactureras cuando la estadidad les quitara sus exenciones de impuestos. Los "estadolibristas" hablaban sobre la Sección 936 como si ésta formara parte integral de un "pacto" entre los Estados Unidos y Puerto Rico; un pacto que no podía ser cambiado sin el consentimiento de ambas partes.

Nosotros, por nuestra parte, sosteníamos que ellos estaban tergiversando los hechos. Insistíamos en que el Congreso tenía todo el derecho legal de eliminar la Sección 936, en cualquier momento, porque nunca había existido un "pacto" auténtico entre los Estados Unidos y Puerto Rico. Y teníamos razón.

El Tribunal Supremo de los Estados Unidos sostuvo nuestro punto de vista en una decisión de mayo de 1980, *Harris vs. Santiago*, que reafirmó sin comentario o elaboración —fue una decisión *per curiam*— que Puerto Rico cae por completo bajo la jurisdicción de la cláusula territorial de la Constitución federal, y que por lo tanto, el Congreso puede, según la Constitución, "hacer todas las normas y reglamentos necesarios" con respecto a la isla. En otras palabras, nunca ha existido en realidad un "pacto bilateral" entre Puerto Rico y los Estados Unidos.

Dos años más tarde, al preparar el conjunto de propuestas para recoger rentas públicas que a la larga se convirtió en la ley conocida como "Tax Equity and Fiscal Responsibility Act" de 1982, el senador Dole recomendó medidas que hubiesen reducido dramáticamente el incentivo para que compañías del continente operaran subsidiarias manufactureras en Puerto Rico. Era obvio que la "autonomía fiscal" de Puerto Rico no era producto de un pacto bilateral, sino meramente el resultado de una sección del Código de Rentas Internas que el Congreso podía enmendar o incluso *derogar*.

Con la ayuda inestimable de la Casa Blanca, de senadores y congresistas simpatizantes, de medios noticiosos influyentes, y de muchos representantes del sector privado, logramos después de varios meses enmendar las propuestas de Dole, para reducir el daño que éstas hubiesen podido causar a nuestra economía.

A pesar de eso, creo que el 1982 fue un año crucial en el despertar del pueblo de Puerto Rico a lo inadecuado de la inferioridad política perpetua. Porque ese mismo año, después de sufrir recortes desproporcionadamente grandes en los programas federales debido a la política económica del Presidente Reagan, sufrimos el contratiempo adicional de ser la *única* jurisdicción de los Estados Unidos que fue removida por completo del programa de cupones para alimentos.

En su lugar se nos asignó una transferencia fija para ayuda nutricional: una transferencia fija que redujo los niveles de fondos por varios cientos de millones de dólares al año, por debajo de lo que hubiésemos recibido con el programa de cupones para alimentos. Huelga decir que este tipo de discrimen deliberado contra los más pobres y necesitados de nuestra isla hubiese sido tanto política como legalmente imposible si Puerto Rico hubiese sido un estado.

De manera que la dura verdad finalmente está llegando a quienes puedan haber dudado antes: las llamadas "ventajas" del "estado libre asociado" son, en el mejor de los casos, muy frágiles, y en el peor de los casos, inexistentes.

Para mí, la posición ideológica de los defensores del "estadolibrismo" siempre ha sido imposible de aceptar. Y honradamente no puedo entender cómo *ellos* pueden aceptarla tampoco, si es que poseen algún grado de dignidad y autoestima.

Ellos hablan de la unión permanente con los Estados Unidos, y sin embargo sostienen que nosotros, y nuestros hijos, y los hijos de nuestros hijos, deben seguir siendo para siempre *inferiores* a los otros ciudadanos americanos. Es como si ellos creyeran realmente que los puertorriqueños son de algún modo *incapaces* de ejercer los mismos derechos y de asumir las mismas responsabilidades que los otros ciudadanos de nuestra nación.

No puede ser cuestión de perder nuestra identidad. Eso sencillamente no es argumento. Hemos estado bajo la bandera americana todo este siglo sin perder nuestra identidad. Ni nuestro idioma. Ni nuestra música. Ni nuestra comida. Ni nuestros días feriados, ni nuestros héroes, ni nuestro patrimonio.

Más aún, como estado, con siete congresistas, dos senadores, y el voto presidencial, nuestra capacidad para defender los valores puertorriqueños *aumentaría*, no disminuiría.

Tampoco se puede justificar que los "estadolibristas" se opongan a la estadidad sobre bases económicas: una vez hayamos obtenido la igualdad política, los puertorriqueños prósperos *deben* pagar su parte de la carga contributiva federal; y, con la estadidad, los pobres *no* llevarán esa carga, como no la lleva la gente pobre de los cincuenta estados existentes.

Algunos manufactureros marginales puede que se vayan de Puerto Rico cuando se impongan las contribuciones federales sobre corporaciones, pero la mayoría no lo hará, y muchas firmas nuevas comenzarán a operar aquí. ¿Por qué? Porque, aunque el rendimiento de la inversión puede que sea menor con la estadidad, los inversionistas ven la ganancia potencial como una función directa del *riesgo*, y la *seguridad* y la *estabilidad* que ofrece la estadidad automáticamente *reducirán* la demanda que existe ahora por un mayor rendimiento de la inversión en Puerto Rico que el que exigen en el continente. Además, Puerto Rico le ofrece a los inversionistas mucho más que tan sólo la exención contributiva, y cualquier puertorriqueño que diga lo contrario insulta la capacidad y dedicación de nuestros trabajadores, nuestros gerentes y nuestros profesionales.

Y finalmente, como han dejado claro los acontecimientos de los últimos tres años, el "estado libre asociado" está predicado *no* sobre un pacto entre pueblos, sino más bien sobre *concesiones* que el Congreso ha otorgado y que el Congreso puede retirar en cualquier momento.

Amigos, en un sentido muy real nosotros los puertorriqueños somos como agregados en la hacienda americana. No pagamos los gastos generales, ni las contribuciones sobre la propiedad, pero estamos totalmente a la merced de los administradores de la hacienda: ellos deciden cuánto nos podemos beneficiar de la prosperidad de la hacienda; nos mandan a pelear en sus guerras; nos hacen pagar a *nosotros* por los errores de *ellos*.

Hubo una época, quizás, cuando se pudo haber argumentado, como se argumentó, que carecíamos de la preparación y experiencia requeridas para asumir una reponsabilidad mucho mayor que la de agregado. Pero aunque haya existido esa época, ya no existe. Los puertorriqueños están preparados, dispuestos y capacitados para asumir la responsabilidad de ser co-dueños de la hacienda americana. Esa es nuestra aspiración, y nos hemos ganado el derecho de ver esa aspiración convertida en realidad.

Antes de terminar, quisiera decir algunas palabras sobre un aspecto adicional del asunto del status.

La remoción de Puerto Rico de la lista de territorios sin gobierno propio de las Naciones Unidas en 1953 no puso fin a la controversia *internacional* sobre el futuro de nuestra isla.

Desde que el régimen de Castro tomó el poder en Cuba, los adversarios mundiales principales de los Estados Unidos han intentado explotar el status político de Puerto Rico como instrumento de propaganda. En este esfuerzo, han recibido el estímulo y el apoyo de los defensores de la independencia en Puerto Rico.

La intensidad de la presión internacional a favor de la *independencia* de Puerto Rico ha aumentado en proporción al aumento del sentimiento *estadista* dentro de Puerto Rico mismo. Esto es interesante, porque obviamente sugiere que el adversario principal de los Estados Unidos está muy ansioso por *evitar* que Puerto Rico se convierta en estado. Y eso, a su vez, subraya nuestro propio argumento de que un estado hispanohablante de los Estados Unidos en el Caribe sería muy beneficioso para la nación. La nación tiene 50 estados anglohablantes; *necesita* un estado hispanohablante.

Durante este mismo periodo, varios estudiosos y analistas dentro de los Estados Unidos se han vuelto cada vez más activos en la promoción de ideas propias con relación al futuro de Puerto Rico. En la medida en que dichas ideas entrañan el alentar al pueblo puertorriqueño a tomar una decisión final sobre el status político, aplaudo esas iniciativas, porque estoy completamente de acuerdo en que esta década *debe* ser la década de la descolonización de Puerto Rico.

Voto explicativo*

Hernán Padilla

. . . .

Mi posición sobre la *Estadidad* siempre ha sido clara y firme. He defendido en el pasado y defiendo ahora el compromiso del Partido Nuevo Progresista y la posición pública de Carlos·Romero Barceló, hecha en mayo de 1976, en el sentido de que, y cito:

> El Partido está *comprometido a educar* al pueblo hacia la meta de que la Estadidad es lo que más le conviene al pueblo de Puerto Rico. Eso es un compromiso de programa y es un compromiso de nuestro propio reglamento.
>
> Eso no se esconde en ningún sitio, pero en estas elecciones los issues importantes, los issues que estarán ante el pueblo son la capacidad administrativa, la solución de los problemas económicos, el desempleo, la salud, la educación, la criminalidad, seguridad pública y las drogas.
>
> Estos son los issues que todos aquellos que salen electos pueden hacer algo por tratar de resolver.

Esto me convence de que no existe incompatibilidad entre ser Estadista y resolver los problemas de mi pueblo. No existe lucha ideológica dentro del PNP, ni se cuestiona si somos o no somos Estadistas.

Vivimos un momento histórico, a tenor con las palabras expresadas por Carlos Romero Barceló en 1976 y que ha sido la posición del Partido desde su fundación. Entiendo y sostengo que el PNP tiene la *Responsabilidad Histórica* de asegurarle a este pueblo que, sin menoscabar su verticalidad

---

* En 1983 comenzaron a aflorar dos tendencias en el PNP: la mayoritaria, dirigida por Romero, aprobó un manifiesto en una reunión celebrada en Loíza. El siguiente documento es la respuesta de Padilla a la Declaración de Loíza. Fue publicada en *El Nuevo Día*, 28 de febrero de 1983.

hacia la búsqueda de la selección final del status; en nuestro caso, la búsqueda de la Estadidad, debemos dar a nuestro pueblo la fe y seguridad de que nuestro Partido habrá de buscar alternativas para resolver los graves problemas por los que atraviesa nuestro pueblo.

Debemos gestionar trabajo al desempleado, buscar un techo al desvalido, alivio al enfermo, erradicar el crimen, mejorar las condiciones económicas del pueblo y en general buscar el mejoramiento de la calidad de vida de nuestra gente.

Cuando la mayoría de nuestro pueblo se convenza y se sienta seguro que los Estadistas podemos darle tranquilidad, seguridad y progreso, entonces ese pueblo estará más receptivo a nuestra invitación para que se nos una. Don Luis A. Ferré, Padre del Ideal dijo en 1967:

> La Estadidad tiene que estar en issue para el Partido Nuevo Progresista todos los días del año; inclusive, el día de las elecciones. Pero con la honradez que caracteriza a este Partido, *Reconocemos que el status de Puerto Rico no se decide en las elecciones.*
>
> Que respetuosos del principio de autodeterminación, nosotros no podemos *imponerle arbitrariamente* destino político alguno a nuestro pueblo.
>
> Nuestra misión consiste en convencer y persuadir a nuestro pueblo de que la Estadidad es el camino del progreso y la seguridad, y el único que nos asegura Unión Permanente con Estados Unidos, de manera que el pueblo, por mayoría se manifieste en favor de la Estadidad en un proceso plebiscitario.

Tenemos que concurrir todos los Estadistas con Don Luis en que nuestra misión consiste en *convencer y persuadir* a nuestro pueblo para que continúe en el camino de la Estadidad.

Reconozco la gestión iniciada por el Partido y la Comisión Estadista en torno a los beneficios de la Estadidad, y me complace la reafirmación que se ofrece a este proceso, en la Declaración de Loíza.

Entiendo que debemos dar a nuestro pueblo un nuevo estilo, un nuevo estado de ánimo, una renovada fe en nuestro

Partido y lo que representa para el Futuro de Puerto Rico.
Por lo tanto, es necesario reafirmar y hacer pública la declaración de propósitos del Partido, según se establece en el Reglamento del Partido:

El Partido Nuevo Progresista es una entidad política del pueblo de Puerto Rico dedicada a promover el adelanto social, económico y político a que aspira y tiene derecho. Nos preocupan profundamente entre otros problemas: La vivienda, el desempleo, el sistema educativo, el costo de la vida, nuestro desarrollo económico, los servicios médico-hospitalarios, la calidad de la vida y el ambiente, la criminalidad y la erosión de los valores tradicionales que nuestro pueblo ha atesorado a lo largo de su historia.

Entendemos además, que el progreso económico que algunos sectores han experimentado no ha llegado aún a todo nuestro pueblo. Es preciso propiciar el adelanto económico de Puerto Rico con una distribución más justa de la riqueza.

Conjuntamente con estos problemas de índole social y económico, está el persistente y fundamental problema del destino político de Puerto Rico. Después de más de cuatro siglos de establecido como pueblo y después de ochenta años de convivencia con los Estados Unidos, los puertorriqueños aún no hemos resuelto el dilema de nuestro status político, ni hemos alcanzado los derechos y prerrogativas a que somos acreedores como Ciudadanos Americanos.

En resumen: todos estamos de acuerdo en que debemos respaldar los beneficios sociales, políticos y económicos de la Estadidad. Defendemos la necesidad de educación y orientación en torno al ideal. Sostenemos que la discusión de la Estadidad y otras fórmulas políticas es un asunto de consideración diaria.

La Estadidad es un instrumento de cambio y reforma social y política que *requiere tiempo*, pero más que nada, *requiere consenso de Pueblo.*

La Declaración de Loíza reafirma muchos de los conceptos que nos unen como Estadistas. Entre nosotros no hay diferencia en el sentimiento Estadista.

El Futuro de la Estadidad está cifrado en la Renovación y Cambios que pide nuestro pueblo para solucionar sus problemas inmediatos.

Finalmente, creo apropiado señalar de una manera categórica y compatible, que la historia del PNP en términos de status, lo que considero muy apropiado repetir, reafirmar y endosar, se encuentra claramente expresada en los conceptos esbozados en el Programa de Gobierno del PNP en los años 1972, 1976 y 1980, a algunos de los cuales hago referencia:

Tenemos la convicción de que el ingreso de Puerto Rico como Estado de la Unión Americana es indispensable a nuestra natural aspiración, de soberanía y dignidad como pueblo y necesario desde el punto de vista económico.

Nos comprometemos, como Partido, a luchar por la consecusión de la Estadidad en el plazo más corto que sea posible.

Ese plazo depende fundamentalmente, de la voluntad del pueblo de Puerto Rico.

El Partido Nuevo Progresista se compromete a respetar la voluntad de nuestro pueblo, según ha sido expresado, hasta tanto éste no decida otra cosa en un referéndum libre y democrático.

El issue del status político no es materia para resolverse en las elecciones generales, en las que el pueblo elige su gobierno.

Este Partido declara que oportunamente, celebrará un plebiscito o los que fueran necesarios, para decidir definitivamente el status político de Puerto Rico.

El PNP propiciará mediante legislación tan pronto lo estime conveniente, pero lo más pronto posible, dicha expresión mayoritaria.

Mientras tanto el PNP orientará y educará al pueblo, *sin la imposición*, sobre los beneficios, responsabilidades y ventajas de la Estadidad.

Puerto Rico y el Caribe*

Hernán Padilla

Las declaraciones recientes de que la administración del Presidente Reagan está desarrollando un programa de largo plazo de ayuda política y económica al Caribe constituyen una buena noticia para aquellos de nosotros que pensamos que los Estados Unidos deben desempeñar un papel más activo en esta parte tan importante del hemisferio. La administración Reagan debe desarrollar un programa amplio de ayuda política, económica y social para esta región.

Puerto Rico, como presencia principal de los Estados Unidos en el Caribe, tiene mucho que ofrecer a los norteamericanos como socio en esta región. Además, Puerto Rico puede sacar mucho provecho como socio comercial y empresarial de nuestros vecinos en el Caribe y se beneficiará de las políticas y las medidas que tomen los Estados Unidos para mejorar efectivamente las condiciones económicas y sociales de la región.

Hay varias áreas importantes en las que Puerto Rico puede participar de manera positiva en las actividades de los Estados Unidos en el Caribe. Los líderes políticos y económicos de Puerto Rico pueden intervenir más en las actividades patrocinadas por los Estados Unidos en esta región. La isla puede servir de anfitrión a diversas conferencias, reuniones y seminarios internacionales ideados para reunir a los líderes de los Estados Unidos y el Caribe.

Además, los Estados Unidos pueden utilizar más los recursos comerciales, educativos y culturales de Puerto Rico

---

* Bajo la administración republicana de Estados Unidos los republicanos puertorriqueños asumieron un papel prominente. El siguiente fragmento del informe, *A Report to the Reagan Administration and the White House Task Force on Puerto Rico* (junio de 1981), por Hernán Padilla, resume la concepción del sector republicano del anexionismo isleño. Traducido por Yvette Torres Rivera.

para lograr un incremento en el desarrollo económico y social en el Caribe. La administración del Presidente Reagan puede apoyar el desarrollo de Puerto Rico como centro internacional de servicios bancarios y financieros del Caribe. Una base sólida de bancos de los Estados Unidos, extranjeros y locales ya están localizados en San Juan. La administración Reagan también puede apoyar un número mayor de actividades comerciales entre Puerto Rico y sus vecinos en el Caribe.

Asimismo, las instituciones de Puerto Rico se pueden utilizar en situaciones de emergencia para ayudar a países vecinos, como se hizo con buen resultado cuando la Guardia Nacional de Puerto Rico participó en los esfuerzos por socorrer a las víctimas de un huracán en la República Dominicana en 1979. Puerto Rico puede "exportar" tecnología a otras áreas del Caribe y puede compartir sus métodos de desarrollo económico e industrial con los vecinos de la región.

A la vez, sin embargo, la administración del Presidente Reagan debe comprender la importancia estratégica y de política exterior que tiene Puerto Rico en el Caribe. Los objetivos de los Estados Unidos en esta región deben aspirar a reducir la influencia cubana —y por tanto soviética— en la región. Puerto Rico sirve como símbolo de la superioridad de los sistemas político y económico americanos. Es lo que los Estados Unidos tienen para ofrecer como alternativa al modelo cubano, que es un fracaso político y económico.

Pero Puerto Rico no es una sociedad perfecta. Para demostrar eficazmente la superioridad de los sistemas político y económico americanos debemos ofrecer como evidencia una sociedad y una economía puertorriqueñas saludables y vigorosas. Para hacer esto, Puerto Rico y los Estados Unidos deben acercarse más a la solución del status de la isla —a favor de la estadidad, creo yo— y hacia la igualdad económica con el resto de la Nación. No servirá a los objetivos de los Estados Unidos en el Caribe si Puerto Rico deja de ser un símbolo positivo de los Estados Unidos en esta región. Por el contrario, Cuba y otros gobiernos tratarían de usar el ejemplo de una economía y sociedad puertorriqueñas deprimidas e inactivas como arma de propaganda para explotar sus propias filosofías económicas y políticas.

El impacto en Puerto Rico del programa de recuperación económica del Presidente Reagan es un tema importante en la discusión de la importancia estratégica y de política exterior de la isla. A pesar de que la economía de Puerto Rico está más desarrollada que las de sus vecinos en el Caribe, harán falta medidas y políticas adicionales para estimular un crecimiento económico nuevo en Puerto Rico y para elevar su *standard* de vida a un nivel comparable al del resto de la Nación. Las consecuencias de hacerlo —o de no hacerlo— aplican no sólo a la política interna de la administración del Presidente Reagan, sino también a sus objetivos de política exterior en el Caribe.

Los ciudadanos norteamericanos de Puerto Rico no deseamos ser parte del problema en el Caribe. Más bien deseamos ser parte de la solución. Al desarrollar programas políticos y económicos para ayudar al Caribe, la administración Reagan también debería tomar las medidas necesarias para lograr la igualdad política y económica entre los puertorriqueños y sus conciudadanos norteamericanos, y la administración Reagan debe analizar el impacto potencial que las políticas y medidas que tomen los Estados Unidos en el Caribe puedan tener en la comunidad puertorriqueña.

La importancia de Puerto Rico para la Nación va más allá de su valor como pedazo de tierra estratégicamente localizado en el Caribe. La administración Reagan debe ver a Puerto Rico como el medio de acceso al Caribe, —y a Latinoamérica— desde donde podemos exportar un plan de acción positivo de cooperación política y económica.

La historia perdida*

Oreste Ramos

Año tras año, década tras década, congresistas vienen y congresistas van; llegando, como semidioses, a no decir nada, o decir muy poco. Y con ese nada o poco, y sin querer, hacen salivar de esperanza a los espíritus buenos que ideológicamente motivados en los partidos (que son, después de todo, el corazón del rollo de cada uno, los trabajadores de cada uno), a la base y al liderato intermedio. Y, con el subsiguiente silencio de piedra institucional del Congreso, las esperanzas se disuelven en el tiempo. ¿Cuánto tiempo pasará hasta que ese corazón del rollo (el partido, realmente) se convenza de que al Congreso, al igual que a los demás órganos del poder federal les importa el futuro de Puerto Rico lo mismo que le interesa a cualquiera de ustedes la piedrita que ahora mismo le molesta dentro del zapato de una viejita que baja una guinda en el barrio Botijas adentro de Orocovis? Nada. Simplemente, tienen otras cosas que hacer. Cosas en las que les va la retención del poder. Ni el Congreso, ni los centros de poder harán nada hasta que los puertorriqueños les provoquemos una crisis política de tal magnitud que les obligue a actuar, propiciando la descolonización de la Isla.

A mi juicio, esa crisis sólo se puede crear con un emplazamiento que se haga a esos centros de poder; que cuente con el apoyo del mayor número de puertorriqueños, que señale la inaceptabilidad de las relaciones como están y que exija el apoyo *americano e internacional* para lograr un cambio que se ajuste a las alternativas de descolonización aceptables de acuerdo a derecho: la Estadidad, la Independencia y la República Asociada.

* Artículo "El Partido Nuevo Progresista, o pare o revienta", *El Nuevo Día*, 10 de marzo de 1987.

Para poder plantearle a esos poderes esa exigencia, se hace menester el consenso. El someter a un *Sí* o *No* del pueblo un lenguaje logrado en reuniones en el alto nivel de los partidos más o menos así: "El pueblo de Puerto Rico por la presente le manifiesta al Gobierno y al Pueblo americano y a la comunidad internacional su profunda insatisfacción con el estado actual de sus relaciones y los emplazan a colaborar en la descolonización de la Isla. Algunos de nosotros creemos que la descolonización se logra mediante la Estadidad, otros mediante la Independencia y otros mediante cambios radicales al actual status, de modo que se cumpla con el derecho internacional".

Una vez se haga el emplazamiento con el 85 ó 90 por ciento de los votos combinados de los partidos y la existencia de un comité descolonizador continuo, para actuar en Washington y en el exterior, la crisis estará creada.

De más está decir que para lograr todo esto se hace menester que el **PPD** pierda las elecciones para que no tenga el temor de perder el poder en las siguientes y para que su jefatura tenga el incentivo de satisfacer a sus sectores descolonizadores. Los independentistas, me parece, siempre están dispuestos. Ambos conscientes, por supuesto, de que el **PNP**, al ganar siempre tendría la alternativa de someter la Estadidad *Sí* o *No* al pueblo si los demás se negaran a colaborar, para que no haya poder de veto.

El problema principal me parece, puede ser la actitud de ciertos sectores de mi partido.

Hasta ahora hemos perdido veinte años desde que fundamos el **PNP**. El cuatrienio del '76 al '80, teniendo el control de todo el gobierno, lo hicieron perder las personas que prevalecieron frente a los planteamientos y exigencias de "bregar de inmediato con el asunto del status" que hicimos los compañeros Edison Misla, José Granados y yo a principios de 1977. Había que "ganar en grande en el '80", según el criterio de los que prevalecían. El resto es historia. Historia perdida o desperdiciada.

La pregunta, pues, es ¿qué vamos a hacer al ganar las elecciones de 1988? El liderato de base del **PNP** no puede permitir que los cuatro (4) años del '88 al '92 se vayan por el mismo sumidero por el cual se fue el del '76 al '80.

Estoy seguro que, de buena fe, el alto control del partido habla de aprobar un proyecto de plebiscito temprano. Pero una cosa es esta inicial actitud y otra lo que pase luego, al comenzar a gustar de los cargos.

Se trata pues de llegar al poder con ánimo descolonizador. Y tomar las medidas necesarias para impedirnos a nosotros mismos el sucumbir ante la seducción del poder de los carros negros, de las distinciones. En una palabra, de tener, además de la fuerza, la actitud. E impedir que esa actitud se pierda, lentamente, a medida que avance el cuatrienio. Se trata de defendernos de nosotros mismos. De que no se caiga en la tentación de lanzarle un bomboncito ideológico a los líderes de barrio y a los idealistas del partido.

A tenor con esto, un grupo de candidatos incumbentes y no incumbentes hemos estado conversando y hemos llegado a la conclusión de que se hace menester, después de formar gobierno en el '89, de confirmar a los candidatos idóneos al Gabinete que se nos sometan, recesar. Decretar un *paro legislativo* hasta que el alto control del partido y del gobierno del PNP comience el proceso de descolonización mediante las conversaciones a que aludo arriba. Y hasta que, si las conversaciones no fructifican, se someta a referéndum el proyecto de Estadidad *Sí* o *No*.

Cualquiera de las dos posibilidades o alternativas de método producirán el resultado que buscamos: que Puerto Rico deje de ser una colonia en estado de sumisión cívica y se convierta en una colonia en estado de insurrección civil.

Martin Luther King lo hizo para conseguir los derechos de los negros sin derechos civiles efectivos en los estados del Sur. Y nosotros, que vivimos en una especie de ghetto político insular, desnudos del principal derecho civil, el derecho al voto federal, no podemos hacer menos.

Cuando los poderes federales se den cuenta de que el no acceder a descolonizar a Puerto Rico conllevaría tal vez el cumplimiento de la amenaza de independencia unilateral, la bomba demográfica de millones de puertorriqueños que caerían sobre los presupuestos de las ciudades americanas sin dinero para alojamiento, hospitales y escuelas; cuando piensen que la FHA tendría que pagar las hipotecas de los miles y miles de hogares que en la Isla asegura; cuando piensen en la posibilidad de perder las únicas bases navales que les quedarían en el Caribe, los federales no tendrán más remedio que conceder la Estadidad.

Pero la insurrección cívica, la insuborcinación civil, el decretar un estado de revolución electoral, democrática, se hace indispensable para lograrlo.

El PNP, simplemente, no debe convertirse en otro partido para administrar la colonia.

Si llegamos al poder con ese compromiso íntimo y con la determinación de protegernos de nuestras propias tentaciones poderistas, no habrá sido en vano el trabajo bestial de los miles de activistas estadistas que por veinte años han tenido que ser desde destapadores de alcantarillados, hasta trabajadores sociales sin sueldo o con sueldos de miseria. Esos líderes de base en conjunto con los legisladores que elijamos tenemos que armarnos de valor para comenzar el proceso hacia la Estadidad tan pronto ganemos.

Pero si algo hay que tener claro es que no se puede hacer la libertad sin faltarle el respeto a la autoridad.

En el próximo cuatrienio el PNP, o pare o revienta.

Niña portando bandera norteamericana en escuela pública (Año 1947).

Al Pueblo de Puerto Rico*

Manifiesto del Partido Federal

Venimos nosotros, como fuerza política organizada, de la Asamblea de Ponce. Allí los patriotas puertorriqueños afirmamos nuestra aspiración enérgica al gobierno propio. Y a partir de aquel instante el partido autonomista luchó, con más perseverancia que fortuna, por el triunfo de sus ideas. Labor inútil: los españoles europeos, apoyándose en sus coterráneos de Madrid, dominaban en todas las situaciones. Y resultábamos nosotros extranjeros en nuestra patria. Sólo quedó un cambio: el de buscar en la vieja metrópoli alianzas eficaces para que vencieran al fin los principios, para que se estableciese el *self government,* para que los hijos de hijos de Puerto Rico administrasen a Puerto Rico.

Fuimos a España como hombres libres y dignos, llevando en los labios más bien que la lisonja la protesta, no a pedir favores, sino a conquistar derechos. Se combatía en Cuba por la libertad de Cuba y los Estados Unidos alentaban a los heroicos combatientes. Al influjo de situación tan grave, y a nuestra vigorosa campaña, debióse la victoria. Nuestros mandatarios volvieron a la isla no con las promesas, con las realidades de éxito positivo. Se cumplió el ensueño de autonomía; nació el *Partido Liberal* y el país fue dueño del país.

En todo este movimiento que duró once años, desde 1887 hasta 1898, la síntesis suprema de nuestra propaganda en la tribuna y en nuestros actos en el poder, se redujo a fórmulas de noble y justo regionalismo. Por la tierra insular, por su honra y su progreso, sufríamos y peleábamos o vencíamos y gobernábamos. Nuestro ideal no cambió nunca. Siendo liberales, seguíamos siendo autonomistas, porque sabíamos y

---

* Fragmento del "Manifiesto al pueblo de Puerto Rico", publicado en *La Democracia,* el 5 de octubre de 1899. Reproducido en Luis Muñoz Marín, ed., *Obras completas de Luis Muñoz Rivera, Volumen I, Campañas políticas (1890-1900),* pp. 241-248.

sabemos odiar a la tiranía que consiste en imponer a los pueblos débiles una autoridad que no tiene como origen el consentimiento de los ciudadanos. Y, porque sentimos así, nos torturaba el temor de un peligro no remoto: el de que España destruyera las libertades que otorgó bajo el imperio de las circunstancias, desencadenando, como otras veces, la furia de la reacción sobre la colonia inofensiva e indefensa.

No de otra suerte se explica que al llegar a nuestras costas al ejército invasor se le considerase y se le recibiese como a ejército libertador. Flotaba en el mástil de los barcos y en las filas de los batallones la bandera americana, que simboliza la democracia más grande y más perfecta del mundo, y nos-otros, los desposeídos de siempre, vislumbramos la certidum-bre de una autonomía sincera, de un derecho garantido, de una prosperidad desbordante en el seno de la nueva naciona-lidad. De tal modo, sin resistencia ninguna, antes bien con estruendoso regocijo que la solemne majestad del momento histórico no bastaba a reprimir, el pueblo acogió entre víto-res y palmas, no a sus conquistadores, sino a sus redentores. Las mismas Cámaras se disolvieron en el acto; los represen-tantes compartían el júbilo de las multitudes y saludaban el amanecer de un día espléndido en los horizontes del terruño nativo.

Y de tal modo también el *PARTIDO LIBERAL* entero —sin más excepción que la del grupo de hombres a quienes un deber de lealtad reunió, hasta el último minuto, en torno de la muerta soberanía— pudo convertirse en heraldo y en paladín de la república vencedora.

Realizada la evolución de los espíritus se realizó pronto en los hechos. Y, al reunirse hoy en asamblea los antiguos liberales, confirman sus esperanzas y buscan un nombre que responda a las prácticas y a las tradiciones de la federación en que anhelan ocupar el puesto que pertenece a la importancia de Puerto Rico. Y quieren llamarse *PARTIDO FEDERAL*, porque continúan pensando en su ideal autonomista y por-que no existe sobre el planeta autonomía tan amplia y tan indestructible como la que supieron crear, cuando escribie-ron sus códigos, los patriarcas de la América del Norte para sus Estados y para sus territorios. Y no necesitan cambiar su programa, sino ratificarlo, ampliándolo y extendiéndolo hasta el límite de las franquicias, políticas y económicas, que disfrutan nuestros hermanos del continente. De ahí que proclamen el dogma de la identidad y que se apresten a defenderlo con entusiasmos varoniles. La identidad ha de ser nuestra divisa. En la identidad encarna nuestro patriotismo, que no es el sentimiento de la nación como un todo centralizador bajo el imperio de un solo poder gubernativo y legislativo, sino el sentimiento de la región, intenso, profundo; de la región construída y organizada con sabia independencia, en la forma de Estado federal, con gobierno propio, ligándose, uniéndose, dentro de una admirable variedad, a las otras regiones, hasta obtener, como soberana resultante, un poder central que garantice la autonomía de los poderes locales y protege y levanta *(sic)* los intereses comunes por la acción de un organismo superior, fuerte y poderoso. Los Estados Unidos carecen de nombre como nación; ni siquiera se llaman nación: se llaman ¡Estados Unidos! Por eso el pueblo, si pide amparo a su Dios, no le dice: *Oh Lord Bless our Nation*, sino que le dice: *Oh Lord Bless these United States*. La América del Norte es un Estado de Estados y una República de Repúblicas. Uno de esos *Estados*, una de esas *Repúblicas* debe ser Puerto Rico en el porvenir. Y a que lo sea cuanto antes dirigirá sus empeños el partido federal.

· ·

En suma: el partido federal, con soluciones prácticas y con ideales científicos, va resueltamente a fundirse en la federación, bien persuadido de que en la absoluta identidad americana reside la absoluta autonomía puertorriqueña. Puerto Rico será feliz para siempre y nosotros cumpliremos nuestros altos deberes, como patriotas y como ciudadanos, imponiéndonos los más duros sacrificios por la libertad y por la patria.

Declaración de Principios (1900)*

Partido Republicano

AL PAIS:

Disueltos los antiguos partidos que luchaban por las libertades de Puerto Rico durante la soberanía española, surje ahora la necesidad de agrupar en torno de un nuevo programa político a los residentes en el país, que quieran trabajar por el desenvolvimiento de los intereses locales bajo el amparo glorioso de la bandera americana.

Nuestros principios substanciales comprenden dos categóricas afirmaciones:

Anexión definitiva y sincera de Puerto Rico a los Estados Unidos.

Declaración de Territorio Organizado para Puerto Rico, como medio de ser luego un Estado de la Unión Federal.

Tenemos el convencimiento de que a nuestro país no le conviene ser independiente por su corta extensión y por la mala educación política que ha tenido hasta ahora. Tampoco nos ilusionamos con las falsas ventajas de una confederación antillana, pues si bien a las antiguas antillas españolas les son comunes, el origen, el lenguaje y las costumbres, también lo que es Cuba está por organizarse, Santo Domingo constituye un deplorable atraso político, y Puerto Rico, con su cultura, su civismo, y su admirable disposición para el ejercicio de las funciones democráticas, no hallaría en aquel medio compensación ventajosa de gobernarse libremente en el interior y disfrutar en el exterior de la garantía de una Nación poderosa y bien organizada que le asegure el

---

* Fragmento de la *Declaración de principios y plataforma política del Partido Republicano*. Reproducida en José Celso Barbosa, *Orientando al pueblo*, Imprenta Venezuela, San Juan, 1957, pp. 25-29.

ejercicio de las libertades contemporáneas.

Siendo ahora territorio, y mañana Estado de la Unión americana, se realizan satisfactoriamente los más perfectos ideales de un pueblo como el puertorriqueño, es decir, el gobierno próspero y efectivo de sus asuntos locales, la intervención eficaz con los demás Estados en los asuntos nacionales, y el influjo positivo de poderosos medios encaminados a un fin civilizador, en los destinos de la humanidad.

Comprendiendo que ha llegado el supremo instante de intervenir decididamente en la vida insular, y en la vida nacional, hemos pensado maduramente y hemos adoptado después la siguiente *Constitución del Partido Republicano Puertorriqueño*, que sometemos al juicio del país, seguros de que el patriotismo y buen sentido político de todos, nos agruparán en torno suyo.

Pronto reuniremos a los que secunden esta idea en gran meeting, para que se discuta y vote el programa detallado de nuestras aspiraciones, juicios y deseos, como legítima consecuencia de los principios sancionados de nuestra *constitución* que dice así:

CONSTITUCION

El primer deber de todo ciudadano es sostener la personalidad y las leyes de su país.

Por eso los puertorriqueños se sienten animados por una causa común, que les guía al mismo fin, que no es otro que poner todo el esfuerzo de su voluntad en mejorar el gobierno local.

Con fe en el espíritu eficaz, patriótico y genuinamente americano, demostrado por el Hon. Guillermo McKinley, Presidente de los Estados Unidos, al librar a Puerto Rico del mal Gobierno Español, prometemos fidelidad a nuestra nacionalidad sirviéndonos de guía los santos principios de *armonía*, *unión* y *buen gobierno*, y confiando en que pronto se arreglen satisfactoriamente todos los asuntos públicos de la Federación...
. . . .

Plataforma (1936)*

Partido Unión Republicana

I. El Partido Unión Republicana reconoce el principio de la propia determinación como base fundamental para resolver el *status* político definitivo de Puerto Rico.

II. El Partido Unión Republicana ve con regocijo el progreso realizado por el Pueblo de Puerto Rico, tanto en vida social, cultural, política y económica, durante los 38 años de asociación con Estados Unidos de América, y reconoce el influjo saludable de los principios e instituciones americanas en el éxito alcanzado por el Pueblo de Puerto Rico en tan corto lapso de tiempo.

III. El Partido Unión Republicana estima que sin la cooperación, dirección y ayuda del pueblo y Gobierno de Estados Unidos, Puerto Rico no hubiera podido desarrollar con tan brillante éxito un sistema de sanidad, de escuelas y demás servicios públicos tan amplio y eficiente como el actual, beneficiando por igual a todas las clases sociales y, principalmente, a la juventud sin bienes de fortuna, todo lo que el Partido Unión Republicana ofrece seguir perfeccionando, desarrollando e intensificando para provecho del pueblo.

IV. El Partido Unión Republicana mantiene que el pueblo de Puerto Rico, por la práctica adquirida en el ejercicio del gobierno de la Isla, por su admirable adaptación a los métodos gubernativos modernos y por su preparación cultural, está en condiciones de regir sus asuntos internos, y ante cualquier forma de gobierno propio que el Congreso de Estados Unidos conceda a Puerto Rico en armonía con nuestras aspiraciones.

* Enmiendas a la plataforma del Partido Unión Republicana. Tomado de Reece B. Bothwell, *Puerto Rico: cien años de lucha política* (Río Piedras Editorial Universitaria, 1979), Vol. I, Tomo 1, pp. 576-578.

V. El Partido Unión Republicana confía en la alta misión política que se ha impuesto el pueblo americano en relación con Puerto Rico y cree que cada día se afianzarán más los lazos nacionales que unen a ambos pueblos, estableciéndose una más íntima relación de confraternidad entre la Isla y el Continente.

VI. El Partido Unión Republicana laborará por que Puerto Rico sea admitido en el seno de la Federación americana como uno más de los Estados soberanos que la integran; y en caso de que esta demanda fuese persistente y definitivamente negada en forma que no deje lugar a dudas, entonces el Partido Unión Republicana trabajará para conseguir la plena soberanía, interna y externa, en forma digna del pueblo portorriqueño y del pueblo americano; y cualquier solución que el Congreso propusiera para el *status* político definitivo para Puerto Rico, deberá ser sometido a un plebiscito del pueblo portorriqueño.

Mientras tanto, y como inmediata solución de nuestro problema político, seguiremos laborando por que a Puerto Rico le sea concedida por el Congreso de Estados Unidos una amplia autonomía (gobierno propio) que de hecho, coloque a nuestro pueblo en condiciones de regir sus asuntos internos, en la forma que a continuación se expresa...

· ·

Plataforma política (1948)*

Partido Estadista Puertorriqueño

Puerto Rico se encuentra frente a una situación que requiere acción inmediata y enérgica. El gobierno que se ha entronizado, merced al engaño de que ha sido víctima el pueblo, ha implantado los procedimientos más detestables, fraudulentos y desmoralizadores que jamás habíamos pade-

* Fragmento del programa del PEP en 1948. Tomado de Bothwell, *Puerto Rico: cien años...*, Vol. I, Tomo 1, pp. 674-681.

cido. Se ha erigido una estructura gubernamental extremadamente compleja, costosa, dispendiosa e incompetente. Se ha creado una enorme burocracia irresponsable, altanera, abusiva, que vive en la holganza, despreocupadamente; que ignora las más urgentes necesidades del pueblo y se da a la tarea de urdir cada día más y más absurdas teorías que requieren mayores dispendios en nuevos organismos donde se albergan más y más medradores del erario público. Se ofende la justicia, se multiplican los fraudes y los negocios ilícitos con el gobierno, se enriquecen los burócratas, se deja en la desesperación a los enfermos que necesitan atención médica y hospitalaria, se deja a los niños sin escuelas, se perpetúan y se engrandecen y multiplican los arrabales insalubres; se denuncian escándalos públicos, que nunca se esclarecen; se trata de amordazar a la opinión, para que no se puedan denunciar hechos bochornosos; se legisla a espaldas del pueblo, por mandato unipersonal; y en fin, cada vez se va acercando más nuestro gobierno, en la práctica, a un régimen de tipo totalitario.

Estamos en proceso de ser convertidos en un mero conglomerado, regido, flagelado y despreciado por el déspota. El relajamiento de la moral pública y privada que estamos observando es el resultado de este sistema. Se multiplican los crímenes, crece el vicio, aumentan los burdeles y los tugurios, las borracheras causan tragedias a diario, se está perdiendo el respeto al semejante y la propia estimación y el cinismo va sustituyendo a la fe, a los principios de buena moral y al concepto del honor.

En lo político, se tiende una cortina de humo que oscurezca y confunda a la opinión, destruyendo el concepto de la dignidad colectiva, para adormecerla, dar satisfacción a los egoístas que sólo piesan en sus propios intereses y dejar que la barca siga a la deriva, para que nunca llegue a puerto, y puedan los que en ella privan seguir disfrutando de la orgía a que se han entregado. Para enjuiciar toda esta bochornosa situación y para impedir la destrucción moral y material de nuestro pueblo, exponiéndola y apuntando los remedios que son menester, es que se reúne, en magna y patriótica asamblea, en el día de hoy, este Partido Estadista Puertorriqueño, formalizando el compromiso sagrado con el pueblo de redimirlo del degradante estado en que se encuentra y conducirlo a una posición de libertad, bienestar y honor colectivo.

Programa Electoral (1956)*

Partido Estadista Republicano

Declaración General de Principios del Partido

El Partido Estadista es un movimiento de todo el pueblo. Todo lo que sea contrario al bienestar del pueblo es contrario al Partido Estadista.

Quien trabaja para el Partido Estadista está trabajando para todo el pueblo. No se está en el Partido Estadista sino para servir al pueblo.

Para el Partido Estadista, todos los puertorriqueños somos ciudadanos americanos iguales. Ningún puertorriqueño debe sentirse mejor, pero tampoco menos, que otro ciudadano americano.

Los estadistas tenemos la obligación de ser generosos más allá de toda medida. Ser generoso es estar siempre prestos a sacrificarnos por el bien de los demás.

El Partido Estadista funda su existencia en el más limpio espíritu de servicio a la libertad y en la adhesión más profunda a la democracia y a los valores de la persona humana contenido en la doctrina Cristiana.

El Partido Estadista no concibe la vida sin la dignidad, y sostiene que para que la vida tenga dignidad, el hombre ha de vivir libre de miseria, con seguridad y paz y libre de coacciones y violencia.

* Fragmento del programa para las elecciones de 1956. Tomado de Bothwell, *Puerto Rico: cien años...*, Vol. I, Tomo 2, pp. 769-773.

El Partido Estadista realizará su ideal de libertad sin miseria haciendo de Puerto Rico un Estado de la Unión Americana.

El Partido Estadista barrerá la igualdad en la miseria que ahora impera en Puerto Rico, y establecerá la igualdad en la propiedad.

La igualdad en la miseria que caracteriza la vida social de nuestro pueblo es consecuencia de actitudes y hábitos que defraudan la democracia y frustran la noble función del trabajo.

Para establecer la igualdad en la prosperidad, el Partido Estadista integrará la economía débil y escasa de Puerto Rico en la economía enormemente grande y poderosa de los Estados Unidos; y hará que rija en la Isla generalmente dentro del tiempo más corto, en las industrias del comercio interestatal, el salario mínimo de $1.00 que ahora rige en unas pocas industrias por determinación del Gobierno Federal.

El Partido Estadista proveerá para que los trabajadores (los obreros y campesinos) y los empleados (la clase media) participen en justa proporción en el progreso económico de las empresas que sirven como un estímulo a su capacidad productiva y como medio de promover el crecimiento de la economía de Puerto Rico en beneficio de empresarios, obreros y empleados y de toda la comunidad.

Existe el criterio erróneo de que los salarios bajos dejan más beneficios a las empresas y patronos. Tal criterio es una grave equivocación que detiene el progreso de los pueblos y destruye la democracia porque viola el principio de que la economía de los pueblos no se organiza para la explotación de estos y sí para su bienestar colectivo.

El Partido Estadista busca, al integrar la economía de Puerto Rico en la economía de los Estados Unidos, asegurar para la agricultura, la industria y el comercio, vigor económico y espacio de mercado para su desarrollo y crecimiento continuo, de lo cual surgirán los empleos y ocupaciones bien remunerados y proveerán el más alto ingreso a los trabajadores (los obreros y campesinos) y a los empleados (la clase media).

Puerto Rico no puede por prurito, por vano orgullo o por complejo insularista de algunos puertorriqueños equivocados, quedarse en donde está, cuando su destino por designio de la Providencia y por determinismo histórico es ser un Estado de los Estados Unidos.

En la ciudadanía americana y la estadidad reside el secreto de la verdadera libertad de los puertorriqueños, libertad que quiere decir, redimir a los puertorriqueños de la miseria, haciéndonos partícipes de toda la riqueza, de todo el poder y de toda la grandeza de los Estados Unidos, Nación de la que con, lealtad y honor somos ciudadanos los puertorriqueños.

....

El ABC de la Estadidad (1967)*

Estadistas Unidos

1. ¿Conservará Puerto Rico como Estado el español como su idioma vernáculo y nuestras costumbres como pueblo de raíz hispánica?

Sí, el español seguirá siendo el idioma de Puerto Rico. Puerto Rico será siempre un pueblo de entronque hispánico y el español seguirá siendo el idioma de Puerto Rico bajo cualquier status político. Dentro de la Estadidad, el pueblo del Estado —en este caso el pueblo de Puerto Rico— dictará la política educativa que habrá de prevalecer en Puerto Rico, independientemente y sin intromisión extraña de clase alguna. El gobierno federal no tiene derecho constitucional para intervenir en la política educativa de un Estado de la Unión. El Estado es autónomo para decidir estas cuestiones. El español estará en Puerto Rico protegido con la Estadidad.

---

* Primer capítulo, "Aspectos culturales y sociales de la estadidad", del folleto *El ABC de la estadidad* publicado como material propagandístico para el plebiscito de 1967.

2. ¿Continuaríamos siendo puertorriqueños al ingresar como el Estado 51?

Seguiríamos siendo puertorriqueños dentro de la Unión Federal; es decir, como un Estado de la Unión. En el sistema federal de gobierno cada Estado goza de una autonomía cultural completa. Precisamente el federalismo ofrece la fórmula más adecuada para unir políticamente a pueblos distintos en sus orígenes, en su raza, en sus costumbres y tradiciones, los cuales se unen políticamente —sin renunciar a su identidad, a su naturaleza, a su carácter, idioma e idiosincrasia— en ideal de vida democrática y libre.

3. ¿Existen países donde haya varios pueblos de costumbres e idiomas distintos?

Sí, los hay. Francéses, alemanes e italianos conviven en Suiza —uno de los países más democráticos del mundo— en una federación política. Lo mismo ocurre en Canadá, donde franceses e ingleses conviven y progresan. En estos países existe el gobierno de tipo federal copiado del de los Estados Unidos. La esperanza de unir a todos los pueblos libres de Europa y del mundo descansa en la fórmula federativa, precisamente porque con ella ningún pueblo tendrá que sacrificar su identidad, su cultura e idioma para gozar de las ventajas indiscutibles de la Unión.

4. ¿Existen otros gobiernos donde hay esa variedad de costumbres e idiomas?

Sí, la unión de pueblos de distintas razas, costumbres e idiomas bajo un solo gobierno es lo que predomina en el mundo, no importa el sistema político que tengan. En Yugoeslavia, en Rusia y otros pueblos que están detrás de la cortina de hierro se hablan distintos idiomas y existen costumbres distintas. Igual ocurre en los países de Europa Occidental. En la misma España hay diferentes pueblos con costumbres y hasta idiomas distintos, como los vascos y los catalanes. Por otro lado, existen pueblos de costumbres similares, del mismo idioma y tronco histórico común que han formado unidades políticas separad..s constituyéndose en repúblicas independientes. Véase por ejemplo, el caso de los

18 pueblos de origen político español en Centro y Sur América, que hoy son tantas otras repúblicas. Por lo tanto, la comunidad de costumbres e idiomas no ha constituido históricamente y por sí misma una fuerza política unificadora en los estados modernos.

5. *¿Es cierto que es necesario que la población en Puerto Rico en general hable inglés como paso previo hacia la Estadidad?*

No es cierto que sea necesario que toda la población de Puerto Rico hable inglés para lograr la Estadidad. Unicamente las personas llamadas a representar a Puerto Rico en el Congreso y otras agencias del gobierno federal deberán dominar el inglés. Desde luego, que los Estadistas de Puerto Rico tienen interés especial en que todos los puertorriqueños aprendan buen inglés para que tengan todas las oportunidades que el conocimiento de ese idioma ofrece para una vida más plena y completa en Puerto Rico y fuera de Puerto Rico. Esto, por supuesto, sin olvidar el español.

6. *¿Se le exigió a los habitantes de Hawaii saber inglés como requisito para ser admitido el Hawaii como Estado Federado?*

No se les exigió tal cosa. Pero es bueno saber que el Hawaii es un país distinto a Puerto Rico culturalmente y que no es una isla como Puerto Rico, sino un conglomerado de islas. En el Hawaii hay hoy 209,000 blancos, 206,000 descendientes de Japoneses, 81,000 filipinos, 9,000 nativos de otras cuantas nacionalidades y razas. Estos pueblos hablan diversos dialectos e idiomas. Para entenderse entre sí, se hizo necesario utilizar una lengua común y de ahí que el idioma inglés fuera aprendido en las islas Hawaianas. El conocimiento del inglés era una necesidad para unir al pueblo. Actualmente, en la constitución del Estado del Hawaii, ratificada así por el Congreso de Estados Unidos, establecen el hawaiano y el inglés como los idiomas oficiales del Hawaii. En Puerto Rico, como Estado Federado, el español y el inglés serían nuestros idiomas oficiales. Y en Puerto Rico el español será siempre el idioma de nuestro pueblo.

7. *¿Conservaríamos nuestras costumbres cuando Puerto Rico se convierta en Estado de la Unión Americana?*

Sí, conservaríamos nuestras costumbres. No hay por qué creer que la Estadidad traería a Puerto Rico todas las costumbres americanas. En Puerto Rico, como en el Japón, Francia, Inglaterra o Cuba, se siente la influencia de una cultura como la de EE.UU. Eso es así hoy como lo será mañana, independientemente del status de estos pueblos. Nuestro propósito debe ser el de propulsar las buenas costumbres, sean estas norteamericanas, europeas u occidentales, mientras que deberíamos rechazar las malas costumbres, vengan de donde vengan, inclusive las propias cuando puedan resultar perjudiciales para nuestro pueblo.

8. *¿Se producirían en Puerto Rico, si fuésemos Estado Federado, los mismos conflictos raciales que en algunas ciudades y estados de los Estados Unidos?*

No hay la menor posibilidad de que esto ocurra. Hawaii es el gran ejemplo. Antes de la Estadidad eran las Islas Hawaianas ejemplo magnífico de tolerancia interracial y Hawaii como Estado Federado sigue siendo un ejemplo perfecto de tolerancia y de integración racial.

9. *¿Qué diferencias existen entre el Estado Libre Asociado y el Estado Federado en cuanto a la conservación de nuestra herencia cultural y de nuestro idioma?*

La única diferencia es que el Estado Libre Asociado está a merced del Congreso, el cual podría —aunque no creemos que lo haría— despojarnos de la facultad para defender nuestra herencia cultural. En cambio, Puerto Rico como Estado de la Unión, tendría esa autoridad y ésta arrancaría de la Ley Suprema de la Nación —es decir, de la Constitución de EE.UU.— y como tal no estaría al alcance del Congreso de EE.UU. la facultad de despojarnos de la misma. Ya los tribunales han resuelto esto en forma definitiva.

10. *¿Es de buena calidad el español que se habla en Puerto Rico actualmente?*

Ciertamente. El filólogo puertorriqueño, experto en el idioma español. Dr. Rubén del Rosario, dice que en Puerto

Rico no ha degenerado el español y no hay peligro alguno que esto suceda. Añade Rubén del Rosario: "más que en la realidad, la gravedad del problema está en la fantasía y en la telaraña mental de ciertos intelectuales". Y don Tomás Navarro Tomás, eminente catedrático español, nos dice que el español en Puerto Rico mantiene con firmeza la estructura gramatical y el vocabulario básico del idioma. Añade este eminente profesor, que las irregularidades más corrientes son en substancia las mismas que existen en el habla popular de cualquier país de lengua española. Ahora, fíjese Ud. bien, el español en Puerto Rico es de buena calidad y se habla más y mejor español que en los tiempos de España en Puerto Rico. Y esto es así, a pesar de que por medio siglo todos los Comisionados de Instrucción Pública eran nombrados por el Presidente de EE.UU. y estos eran responsables ante el Presidente de los EE.UU. Pero en Puerto Rico como Estado de la Unión, todo el sistema educativo y la política educativa en su totalidad será hecha en Puerto Rico por los puertorriqueños, y ni el Presidente ni el Congreso de Estados Unidos podrán intervenir en esto. Y eso es así, porque bajo la Constitución de los EE.UU., la educación es la actividad por excelencia que corresponde a cada uno de los Estados de la Unión exclusivamente.

11. ¿No habría en los círculos oficiales de Washington oposición a que un país de cultura e idiomas distintos se convirtiese en Estado Federado?

El caso de Hawaii, que ya hemos señalado, contesta esta pregunta, pues aquél es un país de distinta composición racial y de varios idiomas y dialectos, y con rasgos culturales propios. Es bueno recordar lo que dijo el Representante Roger C.B. Morton, miembro del Congreso de Estados Unidos y también de la Comisión del Status, en entrevista que le hiciera el *San Juan Star* el 15 de marzo de 1967:

> Necesitamos al pueblo de Puerto Rico como parte del gran complejo que es el ideal democrático americano. Necesitamos a Puerto Rico con su cultura y necesitamos a los puertorriqueños con su idioma. Los necesitamos a ustedes con sus costumbres y con su manera de

ver la vida. Y, permítame añadir, ustedes nos necesitan
a nosotros.

*12. ¿Es cierto que Luis Muñoz Rivera se expresó a favor
de la Estadidad para Puerto Rico?*

Sí, es cierto. Luis Muñoz Rivera escribía, a su regreso de
un viaje a Estados Unidos, lo siguiente:

> Vengo de un país cuya pujanza es el asombro del
> mundo... El hombre allí se siente ciudadano: su voto
> absuelve o condena en los Tribunales; su voto influye
> en la marcha de la federación de los Estados, de los
> Municipios... allí donde están seguros, donde perma-
> necen inviolados la libertad del hombre y la dignidad
> del pueblo... El Partido Liberal desea y pide que Puerto
> Rico se transforme en un specimen de California o de
> Nebraska, con las propias iniciativas, con las propias
> leyes, con las propias prácticas: iguales en el deber y en
> el derecho; iguales en las ventajas; iguales, si hay sacri-
> ficios, en los sacrificios...

Y en otra ocasión, añadía Luis Muñoz Rivera: "La América del Norte es un Estado de *Estados*... Uno de esos Estados... debe ser Puerto Rico en el porvenir". Esto es
exactamente lo que queremos nosotros y lo lograremos,
votando bajo la Palma el 23 de julio.

La recuperación económica (1976)*

Partido Nuevo Progresista

La utilización de nuestros recursos de tierra y ambiente y
de nuestros recursos humanos la hemos de comprometer
solamente si rinde beneficios a corto y largo plazo al puertorriqueño. El propósito primordial del programa económico
del Estado es la creación de empleos para que aseguren el
bienestar de nuestra población.

---

* "Bases para la rehabilitación y recuperación económica", del Programa Político del PNP para las elecciones de 1976.

El Partido Nuevo Progresista se compromete a restaurar la fe, la confianza y la seguridad de los inversionistas locales y de Estados Unidos en los puertorriqueños; a restaurar la fe y confianza de todos en que Puerto Rico continuará por los caminos de una vida democrática con respecto a los derechos de propiedad y los principios de la economía democrática en que todos tienen derechos y responsabilidades para con la sociedad en que conviven. Todo derecho conlleva una responsabilidad en nuestro sistema político y económico. La inversión que hace una persona en nuestra economía y en nuestro futuro también conlleva una responsabilidad por parte del estado en garantizar un clima donde otras personas se sientan igualmente deseosas de ayudarse y de ayudarnos.

Reafirmamos nuestro compromiso de propulsar el desarrollo económico de nuestro pueblo a base de la inversión de capital privado, suplementando y guiando la buena marcha de nuestra economía mediante las inversiones públicas que pueda hacer el Estado, pero desalentando en lo posible la intervención directa del Estado en la actividad económica.

Nuestro desarrollo económico debe encaminarse hacia una integración con la economía de los Estados Unidos. Debemos, además, por la localización de Puerto Rico, por nuestra cultura y la condición de desarrollo de nuestro pueblo, abrir las puertas del Caribe y de los países hermanos de América para provecho de todos.

La crisis por la cual pasa la industria de la construcción, la situación penosa de la agricultura, y los tropiezos de las industrias manufactureras, de servicios y la industria del turismo requieren el que se le preste atención especial a reactivar estos cuatro elementos de nuestra economía. Ellos son la base de gran parte de nuestro bienestar material.

Para poder lograr que nuestra economía vuelva a los niveles de producción anteriores reconocemos la necesidad absoluta de atraer la inversión de capital externo. No se puede olvidar, en un programa de rehabilitación, que el capital puertorriqueño es la base más firme a nuestro desarrollo, pues cada uno de nosotros tiene un compromiso moral de velar por el bienestar de su conciudadano y de su

Puerto Rico. Nos comprometemos a fomentar las fuentes de capital interno a la mayor medida posible estimulando el ahorro individual y colectivo.

Los puertorriqueños hemos de acostumbrarnos a asegurar la producción local de artículos para nuestro consumo. Hemos de fomentar una política de sustitución de productos y servicios importados agrícolas y manufacturados, utilizando los medios al alcance del estado. Mientras se fortalecen las bases del bienestar estatal, nos aseguramos que comenzamos a resguardar inmediatamente los derechos de nuestros consumidores.

A la larga, la única forma de subsistir económicamente es mediante la producción de artículos competitivos a precio competitivo; igual que defendemos nuestro consumidor, tenemos que asegurar que nuestros productos estén al alcance de los consumidores aquí y en el resto del mundo. La competencia en la cual entran nuestros productos es cada día más fuerte. Para salir adelante se requiere un esfuerzo máximo por nuestro pueblo, y para nuestro pueblo.

Ningún gobierno está verdaderamente comprometido con el bienestar de su pueblo y con el desarrollo económico para éste, si no emprende un programa de ampliación y conservación de las fuentes de energía. Esta política pública a largo alcance nos llevaría a un control efectivo sobre los aumentos desmedidos en los costos de la electricidad. Para ello se requiere un esfuerzo conjunto de los niveles estatales y federales, públicos y privados. Esta colaboración la hemos de lograr bajo nuestro liderato y acción, en conjunción muy especial con las personas que laboran en la Autoridad de las Fuentes Fluviales.

Estos dos elementos, el de producción de energía a un precio razonable y el de sustitución de importaciones, son claves en nuestro compromiso de mantener los aumentos en el costo de la vida dentro de un límite razonable. Al mismo tiempo, reconocemos que estos dos elementos de nuestro compromiso son metas que no habrían de alcanzarse en un futuro inmediato, pero son de tan vital importancia para nuestro pueblo que todo desarrollo económico futuro deberá tomar en cuenta este compromiso programático.

El aumento desmedido en la deuda pública contraída por el gobierno a nombre del pueblo de Puerto Rico ha llevado a las fuentes de crédito y préstamos mundiales, y también a los asesores principales de estos mercados, a dudar de nuestra capacidad de pago. Nos comprometemos devolver el buen crédito a Puerto Rico y a restaurar la seriedad fiscal en nuestro gobierno para lograr otra vez la confianza que nuestro pueblo merece recibir de todo el mundo. Entendemos que uno de los pasos más importantes para devolver el buen crédito y restaurar la seriedad fiscal en nuestro gobierno sería lograr vender la Telefónica y las Navieras a la empresa privada.

Hemos de reanudar esfuerzos vigorosos por alcanzar y utilizar, donde mejor provecho rinda al pueblo, mayores asignaciones de fondos federales. En particular, gestionaremos que se extienda a Puerto Rico, en igualdad con los estados, la legislación de alcance social tal como lo logró nuestro partido para ciertos programas en el cuatrienio anterior. Nuestro compromiso partidista final, la estadidad, es la única garantía verdadera de mantener y aumentar los programas federales en Puerto Rico. Sin embargo, estamos conscientes que esa meta será realidad únicamente cuando el pueblo de Puerto Rico así lo desee y lo exprese con mayoría de votos en un proceso plebiscitario. Mientras tanto, debemos y tendremos que trabajar para resolver los problemas económicos y sociales de Puerto Rico dentro del marco constitucional y las estructuras políticas existentes.

Declaración de Loíza (1983)*

Partido Nuevo Progresista

El Partido Nuevo Progresista es una entidad política del pueblo de Puerto Rico dedicada a promover el adelanto social, económico y político de cada puertorriqueño y del pueblo de Puerto Rico en general.

Reunida su Junta Central Estatal en Loíza, declara lo siguiente:

DECLARACION

Casi cinco siglos después del descubrimiento, y tras ochenta y cuatro años de ondear sobre la Isla la bandera americana, Puerto Rico no ha resuelto el dilema de su destino político final. Somos un "territorio no incorporado" de Estados Unidos, sobre el que el Congreso, el Presidente y la burocracia federal pueden ejercer amplios poderes de soberanía. Un régimen constitucional y de derecho salvaguarda nuestras libertades personales. No obstante, en lo colectivo, la voluntad de otros impera sobre la voluntad nuestra.

La concesión de la ciudadanía americana en 1917 no alteró la condición de supeditación política y jurídica del pueblo puertorriqueño frente al Gobierno de Estados Unidos. Tampoco la alteraron las acciones que posteriormente enmendaron las Cartas Orgánicas y establecieron, por decisión congresional, la actual condición territorial de estado libre asociado.

Como antes, la autoridad de Estados Unidos sobre Puerto Rico no emana del consentimiento de nuestro pueblo, ni de nuestra participación en las decisiones del gobierno federal, sino del Tratado de París de 1898 y de la cláusula territorial

---

* Manifiesto de la Junta Central del PNP ante el conflicto entre Romero y Padilla; *El Nuevo Día*, 11 de marzo de 1983.

de la Constitución de Estados Unidos, que otorga plenas facultades al Congreso para decidir, como estime menester, sobre el porvenir puertorriqueño.

Sobre esa base precaria e inestable, se sostiene nuestra relación con Estados Unidos. Se trata de un vínculo territorial, con vestigios coloniales, que no se corresponde con nuestra estructura económica y social, ni con la aspiración de un pueblo vigoroso, orgulloso de sus profundas raíces étnicas, culturales y democráticas, que ha sido ejemplo de progreso en América.

A lo largo del presente siglo, Puerto Rico ha multiplicado su riqueza; ha ampliado sus actividades productivas; ha adiestrado sus recursos humanos; ha incrementado sus contactos culturales con el resto de la Nación y con el exterior y reafirmado su propia identidad; ha fortalecido sus patrones de convivencia democrática; y, en fin, ha rebasado su antigua condición de "Casa Pobre del Caribe". En efecto, hemos crecido en todos los aspectos del quehacer cultural, pero, en lo que se refiere a nuestro status político y constitucional, todavía carecemos de derechos de participación en los procesos de Gobierno que ordenan nuestras vidas. Esa falta de crecimiento sustancial en un área vital constituye ahora un impedimento —un freno— para seguir creciendo y una amenaza a lo que ya hemos logrado.

Debemos destacar que, aunque nuestro desarrollo económico y social ha sido grande en relación con el pasado y con el de los pueblos latinoamericanos, Puerto Rico se encuentra rezagado en su desarrollo económico en comparación con los estados de la Unión.

El problema del status no es cuestión de meras teorías o de principios abstractos. Tiene, por el contrario, una estrecha relación con nuestra vida diaria. De su resolución depende que podamos alcanzar los niveles de progreso y bienestar, la seguridad y la estabilidad social que anhela nuestro pueblo.

Así lo comprueban los eventos relacionados con las enmiendas a la Sección 936 del Código de Rentas Internas Federal; los recortes excesivos a nuestra asignación bajo el programa de cupones y nuestra exigua participación —o la falta de ella— en programas federales que otorgan beneficios a los ciudadanos más necesitados en los estados de la Unión.

Lo antes mencionado confirma la amplitud de los poderes federales sobre Puerto Rico y demuestra —en el caso de las enmiendas a la Sección 936— que bastaría una sola acción congresional, un breve instante, para afectar las condiciones para la inversión de capital y el desarrollo económico en la Isla y para contrarrestar nuestro esfuerzo en el área del fomento industrial. Los demás casos subrayan que el poder electoral, y la representación que emana de éste, constituye una condición indispensable al disfrute pleno de los derechos de nuestra ciudadanía. Ninguna comunidad étnica, racial o religiosa ha alcanzado jamás la igualdad económica y social dentro de una Nación, sin alcanzar primero la igualdad política.

Desde esa perspectiva apreciamos la realidad puertorriqueña y discernimos que, a fin de alcanzar nuestros objetivos colectivos, es esencial crear los vínculos políticos que nos unan permanentemente a Estados Unidos. Esto precisa completar nuestra ciudadanía, añadiendo a ella la plena dignidad de los derechos que nos darían participación en los procesos y organismos gubernamentales que pautan el quehacer puertorriqueño desde la esfera federal. Tal participación, esencial también a la preservación y al fortalecimiento de nuestra cultura, se ha hecho tanto más necesaria cuanto más se ha reducido la esfera de jurisdicción y competencia del estado libre asociado.

La estadidad, es, pues la principal razón de ser del Partido Nuevo Progresista. La condición política que padecemos no nos satisface porque no podemos admitir, a perpetuidad, la legitimidad de un poder federal que se ejerce sin nuestra participación y porque no nos complace una ciudadanía incompleta, desprovista de los derechos políticos y económicos que le son inherentes. Tampoco podemos aceptar la fragilidad de nuestra relación política con la Nación que afecta el desarrollo económico y social de Puerto Rico.

Esas condiciones van a la raíz del problema político de nuestro pueblo. El problema se hace patente cuando recibimos un trato desigual, desfavorable, en programas federales de desarrollo económico y seguridad social, lo mismo que en programas de educación y empleo para la juventud, o para proteger a los ciegos, a los impedidos, a los envejecientes, a los enfermos y a las familias pobres.

Tanto el Congreso como el Presidente de los Estados Unidos se han comprometido a respaldar la decisión que adopte el pueblo de Puerto Rico para resolver su dilema de status. Nuestro pueblo nunca ha formulado una petición de la estadidad, razón por la cual el Congreso no ha considerado la cuestión. No obstante, cuando la mayoría de los puertorriqueños solicitemos admisión como miembros de la Unión, el Congreso y el Presidente de los Estados Unidos estarán moral y políticamente obligados a concedernos la estadidad.

La indefinición de nuestro pueblo es la causa esencial de muchos problemas económicos y sociales que debemos corregir cuanto antes por la vía de la estadidad. Ese ha sido el compromiso de nuestro partido desde sus orígenes, y ese compromiso constituye la principal razón de ser del Partido Nuevo Progresista. Queremos y necesitamos la estadidad:

—Porque aspiramos a la igualdad política dentro de la Unión Americana.

—Porque necesitamos ejercer el derecho a votar por el Presidente y el Vice Presidente y elegir nuestros Senadores y Representantes al Congreso, participando así en la aprobación de leyes que afectan nuestras vidas y en la selección o confirmación de los funcionarios federales que toman decisiones aplicables a Puerto Rico.

—Porque los derechos de participación política inherentes a la ciudadanía y el poder que emana de los mismos constituyen garantías y defensas de nuestro desarrollo económico, social y cultural, amenazados hoy por la falta de poder de un estado libre asociado que se consume en la impotencia. Y,

—Porque en la estadidad los puertorriqueños preservaremos las características que nos identifican como pueblo, esto es, nuestro idioma y nuestra cultura. Preservaremos también nuestras instituciones liberales en lo político y en lo económico y elevaremos nuestro nivel de vida, lo mismo que el nivel de desarrollo científico y tecnológico, que forman parte de nuestra identidad cultural.

—Porque, poniendo fin a la indecisión, pondremos fin a los antagonismos, a la extrema politización y a la división de la familia puertorriqueña y podremos dirigir nuestros esfuerzos colectivos a la solución de nuestros problemas vitales, y a la creación de una mejor civilización, con sentido de dirección y con unidad de propósitos.

La estadidad nos daría la oportunidad de hacer una revolución social pacífica. Con ésta lograríamos una mejor educación; mayores oportunidades de empleo; mejores condiciones de salud y de vivienda; una distribución más justa de la riqueza; en fin, una vida con más garantías de seguridad y de progreso.

A esos efectos, el Partido Nuevo Progresista continuará orientando y educando al pueblo sobre los beneficios, responsabilidades y ventajas de la estadidad.

Urgimos al pueblo puertorriqueño que se una a nuestro reclamo de igualdad y dignidad política y a que, fuera de elecciones generales, exprese ante el Congreso de los Estados Unidos su voluntad mayoritaria de ingresar a la Unión con todos los derechos, prerrogativas y obligaciones que corresponden a un Estado.

La patria es su gente y la fórmula que mejor garantiza el bienestar de los puertorriqueños, de cada puertorriqueño, de todos los puertorriqueños, es la igualdad y la soberanía que se encarnan en la estadidad. Por esa ruta, con el mayor sentido de responsabilidad patriótica, Puerto Rico dirige sus pasos hacia la conquista de los derechos que aseguran el bienestar, la tranquilidad y el progreso del pueblo puertorriqueño, de cada puertorriqueño.

Hoy, 22 de febrero de 1983, en el Municipio de Loíza, el Partido Nuevo Progresita ratifica su inquebrantable compromiso con la Estadidad y proclama que la lucha para conseguirla no admite titubeos ni aplazamientos.

Aarón Gamaliel Ramos nació en Fajardo, Puerto Rico en 1946. Obtuvo su doctorado en Sociología Política en la Universidad de Rutgers (Nueva Jersey) con una disertación sobre la política ane-xionista en Puerto Rico. Es autor de varios ensayos y artículos sobre la política puertorriqueña y el Caribe. Enseña en la Universidad de Puerto Rico, Recinto de Río Piedras. Al presente trabaja en una investigación sobre los intelectuales y el estado en Puerto Rico.

*La composición tipográfica
de este volumen se realizó
en los talleres de Ediciones Huracán
Ave. González 1002
Río Piedras, Puerto Rico.
Se terminó de imprimir
en diciembre de 1987
en Editora Corripio, C. por A.
Santo Domingo, República Dominicana.*

*La edición consta de
3,000 ejemplares.*

ESSENTIAL LATIN FOR LAWYERS